共通テストはこれだけ！

JN068476

日本史

講義編 **2** 近現代＋歴史総合

金谷 俊一郎 著

文英堂

はじめに

　こんにちは，金谷俊一郎です。このたび『共通テストはこれだけ！日本史』を受験生のみなさんにお届けできることになりました。

▶本書にこめた思い

　私はこれまで30年以上，共通テスト・センター試験のデータベースを蓄積し，分析を重ねてきました。2020年度からは共通テストに変わりましたが，実際のところ，その7割以上はセンター試験と同様，基本的な語句の理解と時期把握で占められていることがわかっています。

　一方，多くの受験生はいまだに用語や年号をただ丸暗記しようとしています。こんなムダな学習をする必要はないんです。「時間のない受験生に，共通テストに必要十分な知識を最も効率的な方法で提示したい」。本書はそういう思いからうまれました。

▶セールスポイント

　「表解板書」は，各単元の全体像をつかむためのツールです。切り口は単元によってそれぞれ違いますが，ことがらの特徴や時代の流れを読み解くために必要なエッセンスを，わかりやすく整理してあります。

　この「表解板書」と，それに続く「講義」は一体のものです。私は普段の授業では，表を板書します。みなさんは，表解板書を見ながら私の講義を受けている気持ちになって，読み進めてくださいね。

▶学習のしかた

　表解板書と講義をつなぐのが，丸番号つきの「これだけ！ワード」とアミかけ（グレー）の「時期識別ワード」です。「これだけ！ワード」は，共通テストの用語選択問題で出る最重要語句です。ただし，この用語を丸暗記する学習法ではいけません。表解板書と講義で用語の意味を理解し，その用語を選べるような学習を心がけてください。そのとき同時に，「どの時代なのか」のシグナルとなる「時期識別ワード」に注意してください。

　くり返しになりますが，共通テスト日本史探究の攻略に必要なのは，用語と年号の暗記ではありません。重要語句の理解と時期把握です。

▶受験生のみなさんへ

　『共通テストはこれだけ！』をマスターすれば，共通テストの9割をカバーすることができます。各単元の最後にある「共通テスト演習問題」で，問題が解けるかどうか確認してみてください。もしわからない問題があれば，もう一度表解と講義に戻って，知識の定着をはかることをおすすめします。

　本書がみなさんの受験勉強の力強い伴走者になり，受験生の「お守り」になれるなら，これ以上の喜びはありません。

　最後に，「一般的な共通テストの学習法」の間違いに気づかせてくれたのは，多くの受験生の声です。みなさん，ありがとうございました。

金谷先生からの
応援メッセージが
聞ける！

2000

金谷俊一郎

もくじ

近代

現代

『共通テストはこれだけ！ 日本史』の講義編は
［古代・中世・近世］と［近現代＋歴史総合］の
２分冊になっています。

📖 本書の特長と使い方

本書の特長

すべての単元が表解板書・講義・共通テスト演習問題の3つの要素で構成されています。表解板書で全体像をつかみ，講義で知識を整理し，演習問題を解いてみましょう。

表解板書

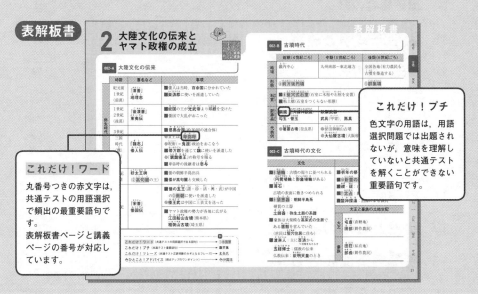

これだけ！プチ

色文字の用語は，用語選択問題では出題されないが，意味を理解していないと共通テストを解くことができない重要語句です。

これだけ！ワード

丸番号つきの赤文字は，共通テストの用語選択で頻出の最重要語句です。
表解板書ページと講義ページの番号が対応しています。

講義①

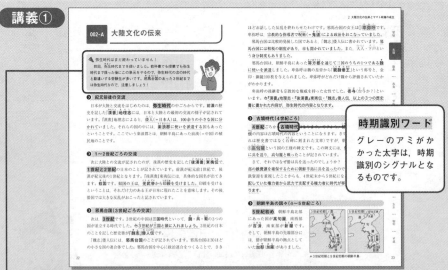

時期識別ワード

グレーのアミがかかった太字は，時期識別のシグナルとなるものです。

イントロダクション

講義の最初に，この単元で何に注目すべきかがまとめられています。

使い方のコツ

① 表解板書→講義→共通テスト演習問題まで一通り終わったら、表解板書に戻って
最後にもう一度確認すればカンペキです。

② 時間がないときは「これだけ！ワード」と「時期識別ワード」を中心に速読します。
もちろん時間をかけて精読すれば、いっそう確実に知識が定着します。

講義②

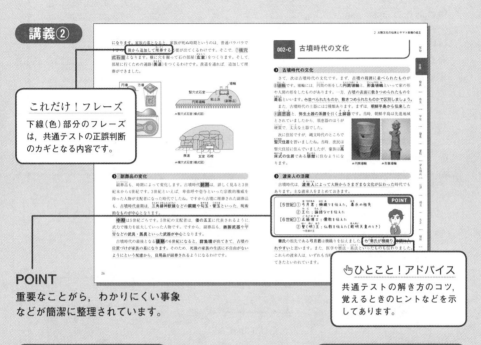

これだけ！フレーズ
下線（色）部分のフレーズ
は、共通テストの正誤判断
のカギとなる内容です。

POINT
重要なことがら、わかりにくい事象
などが簡潔に整理されています。

ひとこと！アドバイス
共通テストの解き方のコツ、
覚えるときのヒントなどを示
してあります。

共通テスト演習問題

共通テスト演習問題
表解板書と講義で身につ
けた知識を使って、演習
問題を解きます。
「解説」では、正答に導く
考え方が丁寧に説明され
ています。

図や絵はこれだけ！

図や絵はこれだけ！
共通テストで出題される
図・絵・写真などをまと
めてあります。

歴史総合の窓

歴史総合の窓
世界のできごとをまとめました。同じ時代に日本で何がおこっているかを確認しながら読み進めましょう。

「これだけ！ボイス」で聞いて覚える！

これだけ！フレーズの中から重要なものをピックアップして音声にしました。
共通テストで狙われやすいフレーズを聞いて覚えることができます。
すき間時間の繰り返し学習にも最適です。

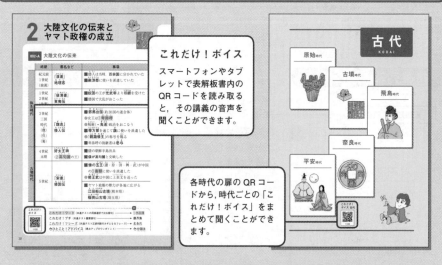

これだけ！ボイス
スマートフォンやタブレットで表解板書内のQRコードを読み取ると、その講義の音声を聞くことができます。

各時代の扉のQRコードから、時代ごとの「これだけ！ボイス」をまとめて聞くことができます。

- 音声は紙面に掲載された「これだけ！フレーズ」と完全に一致しているわけではありません。
- 音声は無料でご利用いただけますが、通信料金はお客様のご負担となります。
- すべての機器での動作を保証するものではありません。
- やむを得ずサービス内容に変更が生じる場合があります。
- QRコードは㈱デンソーウェーブの登録商標です。

江戸

明治

大正

昭和

これだけ！
ボイス 近代

2100

1 列強の接近と開国

001-A 列強の接近

国内	イギリス	ロシア・アメリカ
■近藤重蔵 ●千島を探検した ■間宮林蔵 ●③樺太が島であることを発見した		■①ラクスマン （ロシア） ●根室に来航した ■②レザノフ （ロシア） ●長崎に来航した
■④異国船打払令 （無二念打払令） ●外国船の撃退を命令	■フェートン号事件： イギリス船が長崎に侵入した	■ゴローウニン事件 ●ゴローウニンが国後島で拿捕された
■蛮社の獄 ◀ ●モリソン号事件を非難 →渡辺崋山・高野長英 らが処罰された ■天保の⑥薪水給与令 ◀ ■オランダ国王が開国を勧告した	■⑤アヘン戦争 ●イギリスと清が戦う ●清の敗北 →香港が割譲された	■モリソン号事件 ●アメリカ船が撃退された ■ビッドル（アメリカ）が浦賀（神奈川県）に来航した

001-B 開国

将軍	幕府	外交・雄藩の動き
13代 徳川 家定	老中：阿部正弘 ■1854年：日米和親条約 ◀ ■1854年：日露和親条約 ◀	1853年：開国要求 ■⑦ペリー（アメリカ） ■プチャーチン（ロシア）

	老中：**堀田正睦** ■天皇の勅許が得られず ←	■1856年：**ハリス**（アメリカ） の来日 ●通商を要求した
	大老：⑧**井伊直弼** ■1858年：**日米修好通商条約** ■将軍継嗣問題がおこった	
	南紀派：徳川慶福 └紀伊藩主 井伊直弼ら譜代大名が中心 └彦根藩主 VS **一橋派：一橋（徳川）慶喜** 松平慶永・島津斉彬が推す └越前 └薩摩	
14代 **徳川** **家茂**	■1858〜59年：**安政の大獄** → ●反対する勢力の処罰	■1860年：⑨**桜田門外の変** ●井伊直弼が暗殺される

001-C 開港後の貿易

不平等条約	内容
1854年：⑩**日米和親条約** ●**下田**・**箱館**の開港 ●**薪水**・**食糧の供給**，**難破船救助** ●**領事**の駐在を許可した	**開港後の貿易**（1859年に貿易開始） ●**横浜**・**長崎**・**箱館**で貿易開始 ●相手国は**イギリス**が中心 ●⑭**横浜**が貿易の中心 ●輸出品：⑮**生糸**・**茶**・**蚕卵紙** ●輸入品：**毛織物**・**綿織物**・**武器**
1858年：⑪**日米修好通商条約** ●**神奈川**・**長崎**・**兵庫**・**新潟**の 開港 ●開港場に**居留地**を設置する ●**江戸**・**大坂**の開市 ●通商は**自由貿易**とする ●⑫**協定関税制** ●⑬**領事裁判権**	**貿易の問題点** ■1860年：**五品江戸廻送令** ●**雑穀**・**水油**・**蠟**・**呉服**・**生糸**の開港 場への直送禁止 ■1860年：**万延貨幣改鋳** ●日本と海外の金銀比価の差が背景

	例	
これだけ！ワード（共通テストの用語選択で出る語句） →	①**小田原**	これだけ！ ボイス
これだけ！プチ（共通テスト重要語句） →	**塵芥集**	
これだけ！フレーズ（共通テスト正誤判断のカギとなるフレーズ）→	**北条氏**	
🖐**ひとこと！アドバイス**（得点アップのワンポイント） →	🖐**分国法**	2101

原始 ─ 古墳 ─ 飛鳥 ─ 奈良 ─ 平安 ─ 鎌倉 ─ 室町 ─ 安土桃山 ─ 江戸 ─ 明治 ─ 大正 ─ 昭和 ─ 平成

001-A　列強の接近

🔊 共通テストの学習法

　本書の［古代・中世・近世］でも述べてきましたが，共通テストは細かい用語の暗記を要求しない試験です。用語の意味の理解と，時期把握を問う試験なのです。そのあたりに重点をおいて学習しましょう。

▶ ロシア人の来航（18世紀末〜）

　近現代の幕開けは，アメリカの**ペリー**の率いる黒船の来航です。しかし，それ以前にもヨーロッパ人が多く来航して，日本に開国を要求していました。

　18世紀末，最初に日本にやってきたのは，**ロシア人**です。1792年，ロシア人①**ラクスマン**が漂流民の**大黒屋光太夫**をともない，**根室**(北海道)にやってきました。**寛政の改革**(▷［古代・中世・近世］p.218)のころになります。

　ここでラクスマンは通商を要求するのですが，「日本は長崎でしか外国と交渉しない」といわれて，追い返されてしまいます。そこでロシア人は，次は**長崎**にやってきます(1804年)。②**レザノフ**です。レザノフも通商を要求しますが，今度は，「日本は鎖国をやめるつもりはない」と断られます。

　日本はロシアの来航を，「ロシアの日本侵略が目的なのではないか？」と考えます。そこで，北方の領土の調査をはじめます。まず，**近藤重蔵**は**千島**を探検して，**択捉島**に「大日本恵登呂府」と書かれた柱を立て，日本の領土であることを示します。続いて**間宮林蔵**は，③**樺太**を探検して樺太が島であることを発見しました。**間宮林蔵**の発見した海峡は「間宮海峡」とよばれ，この名称は世界中の地図にも記されています。

▶ 異国船打払令

　19世紀になって，外国船が日本に来るようになると，それにともない，トラブルも次々とおこってきます。

　ロシアとの間におこったのが**ゴローウニン事件**(1811年)です。これは，国

後島にいたロシア人のゴローウニンを幕府の役人が捕らえたため，外交問題に発展した事件です。それ以前にも，**イギリス船がオランダ船を追って長崎に侵入し，乱暴をはたらいたフェートン号事件**（1808年）がおこっています。

このように，外国船の来航を見過ごしているとトラブルがおこると判断した幕府は，1825年に④**異国船打払令**（無二念打払令）を出し，**外国船の撃退を命令**します。

◉ モリソン号事件

外国船撃退の方針を固めた幕府は，1837年に浦賀（神奈川県）と薩摩（鹿児島県）に来航した**アメリカ船モリソン号を撃退**します。**モリソン号事件**です。モリソン号は通商の要求と同時に，漂流していた日本人を助けて送り届けてくれてもいたのです。その船を撃退したということで，幕府に対する非難が高まっていきます。

幕府は，1839年，モリソン号事件を非難した**渡辺崋山・高野長英**らを処罰します。**蛮社の獄**です。

◉ アヘン戦争と薪水給与令

1840年に⑤**アヘン戦争**が勃発します。**イギリス**と**清**の間での戦争です。この戦争で，清は**香港をイギリスに取られてしまう**ほどの惨敗を喫したのです。

イギリスの強さにおそれをなした幕府は，「異国船を打ち払うなんてとんでもない。異国船が来航したら，**薪や水を与えておとなしく帰ってもらうことにしよう**」と方針転換します。これが天保の⑥**薪水給与令**です。天保という言葉からもわかるように，この命令は**水野忠邦**の**天保の改革**（▷［古代・中世・近世］p.219）のころに出されたものです。

1840年代には，当時，日本が唯一交流していた西洋の国であったオランダも「もうこれ以上，鎖国を続けるのは無理だから，開国するべきだ」と勧告します（**オランダ国王の開国勧告**）。また，アメリカも異国船打払令が廃止されたということで，**ビッドル**が浦賀にやってきたりするわけです。

001-B　開国

❯ ペリーの来航

　1853年，神奈川県の**浦賀沖**にアメリカ人で東インド艦隊司令長官の⑦**ペリー**が来航しました。ペリーは，アメリカ大統領の国書を持参して，日本に開国を要求しました。また，ほぼ同時期に**長崎**にはロシア人の**プチャーチン**が来航し，開国を要求しました。

❯ 日米和親条約

　この事態に対して，当時の老中**阿部正弘**は「これ以上の鎖国は不可能」と判断し，開国を決意します。**1854年**にはアメリカと⑩**日米和親条約**を，ロシアと**日露和親条約**を締結します。ここで，日米和親条約の内容を確認しておきましょう。

　条約では，**下田**(静岡県)と**箱館**(北海道函館市)を開港します。また，外国船に対して，**薪水・食糧**の供給と難破船の救助を約束します。さらに，開港場における**領事**の駐在を許可します。日本はロシアやイギリス・オランダとも，同様の和親条約を締結します。

❯ 日米修好通商条約

　日本は開国しましたが，和親条約だけでは，通商をおこなうことができません。そこで，アメリカは**ハリス**を来日させて通商を要求します。

　老中**堀田正睦**は，天皇の勅許を背景に通商条約を締結しようとしましたが，失敗します。天皇が勅許を出さなかったのです。次に政権の中心についたのが大老の⑧**井伊直弼**です。井伊直弼は**1858年**，アメリカの圧力に屈して，天皇の勅許を得ることなく通商条約を締結してしまいます。それが，⑪**日米修好通商条約**です。日米修好通商条約では，**神奈川・長崎・兵庫・新潟**を開港し，開港場には貿易活動を行う**居留地を設け**，居留地での外国人の居住を許可しました。

　☝日米修好通商条約には，不平等な内容が２つありました。⑫**協定関税制**と⑬**領事裁判権**です。協定関税制とは，関税率を日本が独自に設定すること

ができない（関税自主権の欠如）というもので，領事裁判権は，**日本で罪を犯した外国人を日本側で裁くことができない**（治外法権）という点が，不平等でした。

　次いで，幕府は**オランダ・ロシア・イギリス・フランス**とも同様の条約を結びました（**安政の五カ国条約**）。この条約に基づいて，翌1859年から，日本は不平等な状態で貿易をはじめることになります（▷p.16）。

　このような条約を，天皇の勅許なしに強硬に締結したため，井伊直弼に対する反発は日増しに強くなっていきます。

❷　将軍継嗣問題

　またこのころ，13代将軍家定が亡くなります。家定には子がいなかったので，次の将軍を誰にするかという問題がおこってくるわけです。

　井伊直弼ら保守派は家柄を重視して，紀伊藩主であった**徳川慶福**を将軍に推します（**南紀派**）。一方，革新派の大名たちは，当時まだ幼少であった徳川慶福では不安であると判断し，水戸藩主**徳川斉昭**の子で一橋家の**一橋（徳川）慶喜**を将軍に推します（**一橋派**）。結果は，当時幕府の実権を握っていた井伊直弼の推す，徳川慶福が将軍となります（14代将軍**徳川家茂**）。

　将軍継嗣問題や通商条約の締結など，井伊直弼の専横に革新派は反発をはじめます。この反発に対して井伊直弼は，反対する勢力の処罰をおこないます。**安政の大獄**です。

　この処罰によって，井伊直弼への反発はピークに達します。その結果，井伊直弼は江戸城桜田門外で水戸浪士らに暗殺されてしまいます。これを⑨桜田門外の変（1860年）といいます。

[不平等条約]

① ペリー来航（1853年）→ 日米和親条約（1854年）
　＝開国

② ハリス来日（1856年）→ 日米修好通商条約（1858年）
　＝貿易開始（1859年）

開港後の貿易

▶ 開港後の貿易

　日米修好通商条約を締結した翌1859年，日本は貿易を開始します。**横浜・長崎・箱館で貿易がはじまるのです。相手国はアメリカではなく，イギリスが中心**でした。イギリスは産業革命に成功し，世界一の工業国になっていたため，イギリスとの貿易量が多いわけです。また，貿易量は⑭横浜が圧倒的に多く，輸出品は⑮生糸や茶といった原材料が中心で，輸入品は**毛織物や綿織物**といった，当時イギリスの産業革命の中心となっていた生産物が中心となります。貿易は，日本の物価があまりにも安かったこともあり，**当初は圧倒的な輸出超過**でした。

▶ 貿易の問題点

　輸出超過によって日本の製品がドンドン外国に出て行ってしまい，日本の国内では品不足になってしまいました。品不足になると，当然物価が上昇し，**インフレーション**になります。幕府は品不足に対処するため，**五品江戸廻送令（1860年）を出します。雑穀・水油・蠟・呉服・生糸については，必ず江戸を経由して，江戸の品不足を補ってから開港場に送るように**という命令でしたが，外国人がこの法令に納得しません。そのため，この法令は効果が上がりませんでした。

　また，当時は金銀比価のちがいがありました。**外国に比べて，日本の金は外国の3分の1くらいの値段で，異常に安かったのです。**そこで，外国人が日本の金を大量に海外に持ち出してしまうのです。これに対して，幕府は**万延貨幣改鋳**をおこないます。**金の含有量の少ない小判を発行して，金の海外流出を防ごう**としたのです。ところが，金の含有量の少ない小判を発行することは小判の価値を下げることになり，さらなるインフレーションを引きおこしてしまいます。その結果，人々の生活はますます苦しいものになりました。

　このように，貿易を背景として物価が高騰すると，人々はその責任が外国人にあると判断し，**外国人を排斥する，いわゆる攘夷運動へと発展**していったわけです。

[開港後の貿易]

① イギリスが中心(アメリカではない)

② 輸出超過→五品江戸廻送令
　　　　　　↳雑穀・水油・蠟・呉服・生糸

③ 物価上昇→攘夷運動

POINT

共通テスト演習問題 **1**

問題1

　異国船の日本来航,またはそれへの対応に関して述べた次の文Ⅰ～Ⅲについて,古いものから年代順に正しく配列したものを,下の①～⑥のうちから一つ選べ。

Ⅰ　イギリス軍艦フェートン号が長崎に侵入した。

Ⅱ　アヘン戦争の情報を受けた幕府により,薪水給与令が出された。

Ⅲ　異国船打払令(無二念打払令)が出された。

① Ⅰ―Ⅱ―Ⅲ　　② Ⅰ―Ⅲ―Ⅱ　　③ Ⅱ―Ⅰ―Ⅲ

④ Ⅱ―Ⅲ―Ⅰ　　⑤ Ⅲ―Ⅰ―Ⅱ　　⑥ Ⅲ―Ⅱ―Ⅰ

解説

　流れで解いていきましょう。フェートン号事件のようにイギリス船が乱暴をはたらく事件が頻発(ひんぱつ)したため,異国船打払令(いこくせんうちはらいれい)が出されました。ですから,Ⅰ→Ⅲの順序となります。幕府は,異国船打払令で外国船に対して厳しい態度をとっていたのですが,アヘン戦争で清(しん)が敗北したのを知ると,薪水給与令(しんすいきゅうよれい)を出して外国船に対する態度を軟化させます。そのため,Ⅲ→Ⅱの順となります。したがって,Ⅰ→Ⅲ→Ⅱの順となり,正解は②です。

解答　②

17

問題2

次の史料は，1858年に幕府がアメリカと締結した日米修好通商条約の一部である。

第三条　　ア　・箱館港の外，次にいう所の場所を左の期限より開くべし。

　　イ　　西洋紀元千八百五十九年七月四日

長　崎　同断

新　潟　千八百六十年一月一日

兵　庫　千八百六十三年一月一日

　　イ　港を開く後六か月にして，　ア　港は鎖すべし。此箇条の内に載たる各地は，亜墨利加人に居留を許すべし。

第四条　総て国地に@輸入輸出の品々，別冊の通，日本役所へ運上を納むべし。

（『大日本古文書　幕末外国関係文書』）

問1　空欄　ア　，　イ　に入る地名（港名）の組合せとして正しいものを，次の①〜④のうちから一つ選べ。

① ア　下田　イ　下関　　② ア　下田　イ　神奈川

③ ア　大坂　イ　下関　　④ ア　大坂　イ　神奈川

問2　下線部@に関連して，開港直後の貿易に関して述べた次の文X〜Zについて，その正誤の組合せとして正しいものを，下の①〜④のうちから一つ選べ。

X　日本からは，毛織物や綿織物などの繊維製品が多く輸出された。

Y　貿易は輸入超過となり，国内では物価が高騰した。

Z　日本での貿易は，外国人が居住・営業を認められた居留地でおこなわれた。

① X—正　Y—正　Z—誤　　② X—正　Y—誤　Z—正

③ X—誤　Y—正　Z—誤　　④ X—誤　Y—誤　Z—正

解説

問1 空欄 ｱ は，大坂が開港地でないので下田と判断できます。 ｲ も，下関が開港地でないので，神奈川が正解です。

解答 ②

問2 選択肢を見ると，ＸとＹ，もしくはＸとＺがわかれば，正解が出ます。Ｘの毛織物や綿織物といった繊維製品は輸出品ではなく輸入品なので✕。Ｙは，輸入超過ではなく，輸出超過だったので✕。Ｚは，外国人が居住・営業を認められた居留地で貿易はおこなわれていたので〇となり，④が正解です。

解答 ④

原始 ― 古墳 ― 飛鳥 ― 奈良 ― 平安 ― 鎌倉 ― 室町 ― 安土桃山 ― 江戸 ― 明治 ― 大正 ― 昭和 ― 平成

2 江戸幕府の滅亡

002-A 徳川家茂の時代

将軍	幕府	外交・雄藩の動き
14代 ①徳川 家茂 （いえもち）	■②公武合体（老中：安藤信正） （こうぶがったい　ろうじゅう　のぶまさ） ●和宮（孝明天皇の妹）を徳川 （かずのみや　こうめい） 　家茂に嫁がせた	■1862年：坂下門外の変 （さかしたもんがい） ●安藤信正が負傷させられる
	■文久の改革：島津久光が （ぶんきゅう）（しまづひさみつ） 　中心 ●政事総裁職：松平慶永 （そうさい）（よしなが） ●将軍後見職：一橋（徳川）慶喜 （こうけん）（ひとつばし）（よしのぶ） ●京都守護職：松平容保 （かたもり）	薩摩藩（さつま） ■③生麦事件 （なまむぎ） ↓（イギリス人殺傷事件） ■④薩英戦争 （さつえい） （生麦事件の報復） 攘夷が不可能であると悟る （じょうい） ■西郷隆盛・大久保利通らの （たかもり）（としみち） 　下級武士が実権を握る
		長州藩（尊王攘夷を藩論とする） （そんのうじょうい）
	■⑤八月十八日の政変 （ちょうしゅう） ●長州藩を京都から追放した ■池田屋事件 （いけだや） ●尊攘派が新選組に殺傷された （そんじょう）（しんせんぐみ） ■1864年：長州征討（第1次） ●禁門の変の罪を問う ■1866年：長州征討（第2次） ●イギリス 　パークスが薩長に接近 ●フランス 　ロッシュが幕府に接近	■下関外国船砲撃事件 （しものせき） ●攘夷を実行するため ■禁門の変（蛤御門の変） （きんもん）（はまぐりごもん） ●長州藩が京都に攻め上った ■四国艦隊⑥下関砲撃事件 （かんたい） ●外国船砲撃の報復 ■下級武士が台頭した 1866年：薩長連合（薩長同盟） ●薩摩藩：西郷隆盛 ●長州藩：木戸孝允 （きどたかよし） ●仲介は坂本龍馬（土佐藩出身） （りょうま）（とさ）

002-B 徳川慶喜の時代

将軍	幕府	外交・雄藩の動き
15代 ⑦徳川慶喜	■1867年：⑧**大政奉還**（たいせいほうかん） ●土佐藩の**山内豊信（容堂）**（やまうちとよしげ ようどう）を通じておこなわれた ●徳川慶喜が政権を返上した ■慶喜はこの要求に反発した ■1868年：⑩**戊辰戦争**（ぼしん）	■のちの**明治天皇**が即位する ■**討幕の密勅**（とうばく みっちょく） ●岩倉具視（いわくらともみ）が出す ■1867年：⑨**王政復古の大号令**（おうせいふっこ だい ごうれい） ●摂政（せっしょう）・関白（かんぱく）・幕府の廃止 ■1867年：**小御所会議**（こ ごしょかいぎ） ●徳川慶喜に**辞官納地**（じ かんのう ち）を要求

これだけ！ワード（共通テストの用語選択で出る語句）──→ 例 ①**小田原**

これだけ！プチ（共通テスト重要語句）──→ 塵芥集

これだけ！フレーズ（共通テスト正誤判断のカギとなるフレーズ）→ 北条氏

☞**ひとこと！アドバイス**（得点アップのワンポイント）──→ ☞分国法

これだけ！
ボイス

2102

002-A 徳川家茂の時代

> 📢 同時多発のドラマを把握！
>
> 　今回は，江戸幕府の滅亡です。この単元は歴史ドラマが多くて興味を持つ人は多いのですが，きちんと流れをわかっている人は意外に少ないようです。
>
> 　理由は２つで，さまざまな藩や政治勢力が同時多発的にいろいろなことをするのと，それぞれの藩や政治勢力が途中で思想や立場をドンドン変えていくからです。そのあたりを整理しながら進んでいきましょう。

🔹 公武合体

　井伊直弼が暗殺された（▷p.15）後，幕府の政治の中心となるのは老中の**安藤信正**です。井伊直弼は朝廷を無視して通商条約を結んだりしたため，殺されました。そのため，安藤は一転して，朝廷と手を組む政策をとります。それが②**公武合体**です。**孝明天皇**も，朝廷の権力を増大させるためには，幕府と手を組むのがよいと考えましたから，話はトントン拍子に進みます。<u>14代将軍①**徳川家茂**と，孝明天皇の妹の**和宮**との婚姻が成立</u>（1861年）するわけです。

　ただ，**尊王攘夷**の人たちとしては，この公武合体には賛成できないわけです。尊王論とは，皇室を崇拝すべきという考えなので，彼らからすると，皇室が幕府と同列とみなされる公武合体では，皇室の尊厳は守れないと考えたわけです。1862年，<u>安藤信正は公武合体の反対派によって江戸城の坂下門外で負傷</u>させられます。**坂下門外の変**です。

POINT

［幕府の政策と政変］

① 井伊直弼：日米修好通商条約調印，安政の大獄
　　→桜田門外の変（1860年）

② 安藤信正：公武合体
　　→坂下門外の変（1862年）

❯ 文久の改革と薩摩藩の動き

坂下門外の変の後は，**薩摩藩**(鹿児島県)の**島津久光**が幕政改革をおこないます。1862年の**文久の改革**です。この改革では，一橋派の中心人物である一橋慶喜や，越前藩主の松平慶永など，改革派を登用しました。

この薩摩藩ですが，当初はものすごい**攘夷思想**を持っていました。攘夷思想とは，**外国人を打ち払うべきであるという思想**です。島津久光は，横浜の生麦村で，自らの大名行列を横切ろうとしたイギリス人を殺傷する事件をおこすほどでした。③**生麦事件**(1862年)です。

イギリスは生麦事件に対して，1863年，報復をおこないます。④**薩英戦争**です。イギリスの攻撃は猛烈で，あっという間に鹿児島の砲台を占領してしまいました。そのため，**薩摩藩は「攘夷はどうやら不可能のようだ」という結論に達する**わけです。

また，攘夷を唱えていた人たちの藩内部での立場が弱くなり，それに代わって，**西郷隆盛・大久保利通**らの**下級武士**が，薩摩藩の実権を握るようになります。

❯ 長州藩の動き

一方，**長州藩**(山口県)は，**尊王攘夷**の立場をとっていました。尊王攘夷とは，**皇室を崇拝し，皇室の権威で外国を打ち払っていこうという考え**です。長州藩は，攘夷を実行するために，1863年，地元の下関で外国船を打ち払う事件をおこします。**下関外国船砲撃事件**です。

このような長州藩の動きに対して，幕府は危機感を抱きます。なぜなら幕府は，攘夷が不可能であると考えていたので，「国内に長州藩のような，外国の神経を逆なでする勢力がいては困る」と考えたからです。幕府は，1863年の⑤**八月十八日の政変**で，**長州藩を京都から追放**します。長州藩を朝廷に近づけないようにしたわけです。

さらに，幕府は**新選組**を使って，京都にいる尊王攘夷の人たちを一掃しようとしました。**池田屋事件**(1864年)です。

❯ 長州征討（第1次）

　池田屋事件を聞いた長州藩の人たちは怒ります。自分たちの仲間が殺された
のですから，当然でしょう。そこで，1864年，長州藩の人たちは池田屋事件
に抗議するため，京都に乗り込みます。**禁門の変（蛤御門の変）**です。この乗
り込みは失敗に終わり，長州藩の人たちは追い返されるわけですが，ここから
長州藩の受難が続きます。

　まず，幕府は禁門の変の罪を問うために，長州藩に兵を送ります。**長州征
討**（第1次）です。さらに，諸外国からは前年（1863年）の下関外国船砲撃事件
に対する報復がおこなわれます。イギリス・フランス・オランダ・アメリカに
よる**四国艦隊⑥下関砲撃事件**（1864年）です。

❯ 薩長連合

　たび重なる攻撃を受けた長州藩は，とうとう尊王攘夷の考えをあきらめます。
そして，いったんは，幕府のいうことに従うという立場を取るのですが，これ
に反発した高杉晋作ら下級武士がクーデターをおこします。その結果，薩摩藩
と同様，**高杉晋作**や**桂小五郎（木戸孝允）**らの**下級武士**が長州藩の実権を握るよ
うになります。高杉晋作は，奇兵隊という身分にとらわれない軍事組織をつく
りました。

　薩摩藩と長州藩の実権を下級武士が握った。ここに目をつけたのが，**土佐藩**
（高知県）出身の**坂本龍馬**です。坂本龍馬は下級武士の力を強化するために，
薩摩藩と長州藩に同盟を結ばせます。**薩長連合（薩長同盟）**です。

　そのころ幕府は，再び長州藩を攻める**長州征討**（第2次・**1866年**）をおこな
います。しかし，薩長連合のため薩摩藩が長州征討に加わらなかったので，長
州征討は失敗に終わりました。

　一方，**イギリス人のパークスは薩摩と長州に接近**，**フランス人のロッシュ
は幕府に接近**していました。薩摩と長州は，当時世界最強だったイギリスを味
方につけて，自らの影響力を強めていこうと考えます。

002-B 徳川慶喜の時代

❯ 江戸幕府最後の将軍慶喜

　長州征討の途中で，将軍家茂は亡くなり，15代将軍には⑦徳川慶喜がなります。時を同じくして**孝明天皇**も急死してしまい，のちの**明治天皇**が即位します。慶喜は昔のように幕府の力を強くしようと，立て直しをはかります。薩摩や長州はこれに反発して，幕府をたおす倒幕を決意するのです。

❯ 大政奉還

　明治天皇に代わったことをきっかけに，**岩倉具視**ら倒幕派は一気に幕府をたおそうと決断して，**討幕の密勅**を手に入れます。このままでは幕府はたおされてしまいます。そこで徳川慶喜は，**山内豊信（容堂）**の提案を受けて，政権をいったん返上することを決意します。1867年の⑧**大政奉還**です。

❯ 王政復古の大号令

　大政奉還によって，倒幕をおこなうことができなかった倒幕派は，明治天皇に⑨**王政復古の大号令**（1867年）を出させます。摂政・関白・幕府を廃止して，徳川慶喜が二度と幕府を再開できないようにしたわけです。
　さらに，その日の深夜の**小御所会議**では，慶喜に対して，**幕領の返還**と**内大臣**の地位を辞退させる**辞官納地**を要求しました。徳川慶喜はこの要求に反発し，幕府軍と新政府軍が争う⑩**戊辰戦争**に発展するのです。

> **POINT**
>
> ［雄藩の動き］
> ① 薩摩藩：公武合体から倒幕へ転換
> 　薩英戦争→イギリスと接近
> ② 長州藩：攘夷から倒幕へ
> 　幕府による長州征討，四国艦隊下関砲撃事件，
> ③ 土佐藩：坂本龍馬，薩長連合の仲介（1866年）
> 　山内豊信，徳川慶喜に大政奉還を提案

問題 1

幕末期の情勢について述べた文として正しいものを，次の①～④のうちから一つ選べ。

① 海防の充実をはかるため，大砲を据え付ける砲台である台場が江戸湾に築かれた。

② 通商条約締結により，横浜などが開港されると，アメリカが最大の貿易相手国となった。

③ 安政の大獄に憤激した水戸浪士たちは禁門の変をおこし，大老井伊直弼が暗殺された。

④ 薩英戦争や四国艦隊下関砲撃事件を経験した薩摩藩や長州藩では，攘夷論を唱える勢力が強まった。

解説

　正解は①ですが，台場について知っている人は少ないと思います（本書でも扱っていません）。でも，大丈夫です。この問題は，基本知識だけを使って，消去法でちゃんと解けます。

　②は「アメリカ」が誤りでしたね。日本の最大の貿易相手国はイギリスでした。③の井伊直弼の暗殺（桜田門外の変）は，第1講の内容でした。しかし，禁門の変は第2講の内容で，もちろん井伊直弼暗殺後の内容です。禁門の変は井伊直弼暗殺後のできごとなので✕とすればよいわけです。④の薩英戦争や四国艦隊下関砲撃事件は，薩摩藩や長州藩が攘夷が不可能であると悟るきっかけとなった事件です。

　この問題は，流れを理解していれば大丈夫です。共通テストは，1割弱の問題を除いて難問は出ませんから，一見難問のように見えても，このようにあきらめない態度が肝心です。

解答 ①

問題2

ペリー来航以後の出来事に関して述べた次の文Ⅰ～Ⅲについて、古いものから年代順に正しく配列したものを、後の①～⑥のうちから一つ選べ。

Ⅰ　公武合体を推し進めようとする薩摩藩の要求を受けて幕政改革が始まり、参勤交代制の緩和が行われた。

Ⅱ　長州藩が勢力挽回のため京都に出兵し、会津・薩摩などの藩兵に敗れた。

Ⅲ　幕府は欧米諸国との貿易開始の翌年、江戸の物資不足に対応するため、生糸などの五品については、江戸の問屋を通して輸出するように命じた。

① Ⅰ—Ⅱ—Ⅲ　　② Ⅰ—Ⅲ—Ⅱ　　③ Ⅱ—Ⅰ—Ⅲ
④ Ⅱ—Ⅲ—Ⅰ　　⑤ Ⅲ—Ⅰ—Ⅱ　　⑥ Ⅲ—Ⅱ—Ⅰ

解説

年代順に並べ替える問題ですが、年号を暗記する必要はありません。歴史の流れがわかっていれば順番はおのずと見えてきます。年代順に並べ替える問題の場合、それぞれの選択肢のキーワードを抜き出して対比するとよいです。

Ⅰは「公武合体を推し進めようとする薩摩藩」、Ⅱは「長州藩が」「京都に出兵」、Ⅲは「貿易開始の翌年」となります。

Ⅲの貿易開始がきっかけで、攘夷運動が盛り上がり、井伊直弼が暗殺され、Ⅰの公武合体の動きとなります。一方で、尊王攘夷を唱えていた長州藩は、八月十八日の政変で京都から追放された後、Ⅱの禁門の変で京都に出兵します。ですからⅢ→Ⅰ→Ⅱの順となり正解は⑤です。

ちなみにⅢは1860年、Ⅰは1862年、Ⅱは1864年と、かなり近い年代の並べ替えとなっています。「1860年代前半」といった覚え方では太刀打ちできませんし、だからといって、ここまでの年号を暗記をすると共通テストの学習という観点でいくと明らかにオーバーワークになってしまいます。もちろん大学入試センターがここまで細かい年号の暗記を要求しているわけではありません。「歴史を流れとして理解しているか」ということを大学入試センターが要求していることが伺える問題です。

解答　⑤

歴史総合の窓

世界のできごとは，同時代の日本を意識しながら確認しましょう。

1 イギリスの産業革命

日本 ▷ ［講義編1］p.212 022-B ～ 022-D
田沼時代～天保の改革のころ

18世紀後半，イギリスで**産業革命**がおこります。政府がインド産綿織物の輸入を禁止したため，原料である綿花を輸入して国内で綿織物をつくるようになったからです。

綿織物を生産するにあたって機械工業が発展します。このとき動力として用いられたのが**蒸気機関**です。

イギリスには蒸気機関を動かすのに必要な石炭や石油が豊富でした。機械をつくるのに必要な鉄も豊富でした。こうして産業革命はうまれてくるのです。

このときにおこなわれたのが**三角貿易**です。

イギリスはインドから**綿花**を買います。イギリスはインドに**綿工業製品**を販売します。

それでは，インドはどうやって綿工業製品を買っていたのか。ここで登場するのが**アヘン**です。インドから中国にアヘンが密輸され，中国から銀を手に入れるのです。こうやって中国にアヘンが蔓延して後のアヘン戦争へと発展するのです（▷p.31）。

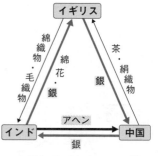

▲三角貿易の流れ（イギリスから出た銀が，イギリスに戻るしくみ）

2 産業革命がもたらしたもの

日本 ▷ ［講義編2］001-A ～ 002-B
レザノフ来航～大政奉還のころ

産業革命とともに登場するのが**資本家**です。資本家は機械を買い工場を建てます。そして，労働者を雇って安く大量に商品を生産する体制を整えるのです。**資本主義**の誕生です。

資本主義は，資本家と労働者の経済格差をうみ出します。急速な工業化は公害問題を引きおこします。

資本家が工業化で得た富は軍事力に向けられました。植民地侵略を加速させるのです。これを**軍事革命**といいます。

また大量の品物を速く輸送するために交通・通信が発達します。蒸気を使った船や鉄道が誕生し，アメリカとヨーロッパを結ぶ電信網も登場します。

3 アメリカの革命

日本▷［講義編1］p.212 022-B
田沼時代

　アメリカとカナダには，イギリス・フランス・オランダが競って植民地を築いていました。最初にオランダが脱落します。次に七年戦争でイギリスがフランスに勝利したため，アメリカ大陸では**イギリス**が力を持つようになります。

　次におこるのは，イギリスとアメリカ大陸にいる植民地の人々との対立です。きっかけは，イギリスが中国茶の販売権を東インド会社に独占させたことです。そうなると，植民地の人々は茶の販売ができなくなります。植民地の人々は反発して**ボストン茶会事件**をおこします。船に積まれた茶を奪い海に投げ捨てる事件です。

　このような中，アメリカで**独立戦争（独立革命）**が始まります。イギリスからの脱却を図るのです。植民地側の総司令官**ワシントン**は1776年，**独立宣言**を発表します。こうした植民地側の動きにフランス・スペイン・オランダなどは協力します。その結果，独立戦争は植民地側の勝利に終わるのです。

4 フランス革命

日本▷［講義編1］p.213 022-C ～［講義編2］001-A
寛政の改革～ゴローウニン事件のころ

　フランスは，アメリカ独立戦争でお金を使いすぎたため巨額の赤字を抱えていました。そこで国王ルイ16世は，聖職者と貴族に課税しようと考え，およそ170年ぶりに議会を開きます。三部会です。ここで言う三部とは，聖職者・貴族・平民の3つの身分をさします。しかし，この動きに反発がおこり，ブルジョワジーと呼ばれる富裕層の平民は独自の議会を開きます。そして，財務改革にあたったブルジョワジー出身の財務長官を国王が罷免したのをきっかけに，民衆は**バスティーユ牢獄の襲撃**をおこない，**人権宣言**を発表します。**フランス革命**（1789年）です。

　しかしこのフランス革命は恐怖政治へと発展していきます。周辺諸国が革命を妨害し始めたからです。革命政府は，ルイ16世を処刑し政府に反対する者を次々とギロチンで処刑します。そして徴兵制を導入し軍事力を強化させ，周りの国を征服し始めるのです。

　このようななか誕生するのが**ナポレオン＝ボナパルト**です。イタリアやエジプトへの遠征で大活躍した軍人です。ナポレオンはクーデターをおこし，新政府と新憲法を制定，国民投票の結果皇帝に就任します。皇帝ナポレオン1世誕生です。ナポレオン率いるフランスはヨーロッパの大部分を支配下におさめますが，イギリスとの海戦で敗北します。

　ナポレオンがイギリスに敗れるとヨーロッパ諸国がナポレオンに反発しはじめます。最終的にナポレオンはワーテルローの戦いでヨーロッパ諸国の同盟軍に敗北。セントヘレナ島に流され，その地で亡くなります。

5 国民主義・民族主義・社会主義

　ナポレオンが流罪になった後,「ヨーロッパを革命前の状態に戻そう」という
動きがおき, 多くの国で旧王朝が復活しました。しかし, 時計の針を逆に戻す
ことはできません。ブルジョワジーと呼ばれる富裕な人々が, これに反発して
自由主義を唱えます。「議会を開いて, みんなが政治に参加できるようにしよ
う」と唱えるのです。しかし, 自由主義は, すべてが自由という考えだったため,
弱者が見捨てられ, 格差社会という問題が生まれます。

　そこで登場するのが, ナショナリズムです。**国民主義**(同じ言語を話す人々が,
同じ法のもとで, 同じ権利を持てる社会)と**民族主義**(同じ民族は国境で分断さ
れちゃダメ)という考えです。この結果, 誕生するのが国民国家です。

　一方, 産業革命によって, 資本家と労働者の格差が広がると**社会主義**という
思想が生まれます。**マルクス**とエンゲルスは, 資本家から土地や工場を取り上
げるべきである, そのためには, 労働者は革命をおこすべきであると主張しま
した。マルクスは, 国を超えた社会主義者の団結である第1インターナショナ
ルを結成します。

6 19世紀のアメリカ

　19世紀のアメリカは, ヨーロッパと距離を取ろうとする孤立主義(モンロー
宣言)がとられました。アメリカは領土拡大に集中します。西に向かって領土
を拡大するのです。

　1848年, カリフォルニア西部で金鉱が発見されると, 世界中からアメリカ
に人々がやってくる**ゴールドラッシュ**がおこります。西海岸まで領土を広げた
アメリカは, 太平洋を渡って清と貿易しようと考えます。その際, 日本を中継
地点にして物資を補給しようと考えたのです。アメリカ大統領フィルモアは,
ペリーを来航させて日本に開国を迫るのです。

　19世紀, アメリカの北部と南部との対立が深まっていました。南北で経済
格差が大きかったからです。北部では, 綿工業を中心に産業革命が実現してい
ました。南部では, 奴隷による綿花の栽培が行われていました。奴隷制に反対
していた北部は, 共和党を結成して**リンカン**を大統領に選びます。奴隷制に賛
成していた南部は, 民主党を結成し対立, **南北戦争**へと発展します。南北戦争
は, 最初のうちは南部が優勢でしたが, 開拓者優遇政策をとり奴隷解放宣言を
出した北部の勝利に終わります。この時アメリカは, 南北戦争で史上最大の戦
死者を出しました。

　南北戦争が終わったアメリカは, **大陸横断鉄道**の開通により世界最大の農業
国に発展します。南部の資源が北部に入ってきます。南部でも綿製品の工場が
つくられます。アメリカは, 世界最大の資本主義国家へと発展していきます。

リンカンの奴隷解放宣言により奴隷は解放されましたが，人種差別問題は依然残ったままでした。

7 19世紀のインドとアジア

日本▷ [講義編2] 001-C
日米修好通商条約のころ

インドでは，イギリス東インド会社がムガル帝国の支配に乗り出します。これに対してインド人は反発します。インド人傭兵の反乱をきっかけに，**インド大反乱**がおこるのです。

しかしイギリスは，この反乱を鎮圧し，ムガル帝国を滅ぼすのです。そして**インド帝国**を誕生させます。インド皇帝には，イギリスのヴィクトリア女王が即位します。インドは，実質的にイギリスの支配地になってしまうのです。

8 2回のアヘン戦争

日本▷ [講義編2] 001-A ～ 001-B
異国船打払令～桜田門外の変のころ

19世紀になると，中国から欧米へ茶の輸出が拡大します。イギリスは，銀が中国に流れていくのを防ぎたいと考えました。そこで始めたのが，インド産**アヘン**の中国への密輸です。イギリスは，インドがアヘンで手に入れた銀を，インドに綿織物を売ることで手に入れるのです（▷p.28）。

中国皇帝は，イギリス商人が持っているアヘンを没収させます。これにイギリスが怒り，1840年**アヘン戦争**をおこすのです。イギリスは圧勝します。

アヘン戦争の結果結ばれた**南京条約**で，イギリスは香港島を割譲させます。広州・上海など5港を開港させます。賠償金を支払わせます。さらに**領事裁判権**を認めさせ，**関税自主権**を奪います。一方的な**最恵国待遇**を認めさせます。

貿易港での外国人の居住が認められ，**租界**が設定されました。イギリスは，上海に租界を設定します。ここは，生糸の生産地に近い場所でした。この頃，中国の生糸が大量に輸出されます。ヨーロッパで蚕の病気が流行して，生糸の生産が激減したからです。

1856年には，**第2次アヘン戦争（アロー戦争）**がおこります。この戦争は，イギリス・フランスが勝利し，北京条約が結ばれます。天津・漢口など11港が新たに開港され，北京への公使の駐在が認められます。キリスト教の布教が自由化され，なんと**アヘン貿易の合法化**まで認めさせるのです。

この頃，銀の流出により中国の銀価格は上昇していました。そこにアヘン戦争の賠償金が加わり，民衆の不満は爆発します。洪秀全は，民衆の不満を背景に**太平天国**を建国します。太平天国は，満洲人の王朝である清を滅ぼして，漢人の王朝を復興させようと唱えます。太平天国は，欧米列強からも好評でした。

しかし，第2次アヘン戦争の結果結ばれた北京条約で，清が列強の要求をのむと，列強は「太平天国は用無し」と考えます。清の漢人官僚であった李鴻章は，義勇軍を率いて太平天国を攻めると，太平天国は滅亡してしまいました。

003-A 明治維新

年号	政治	経済・戦乱
1868	■**五箇条の御誓文** ごかじょう　　ごせいもん ●公議世論と開国和親を唱えた こうぎよろん　　かいこくわしん ●由利公正・福岡孝弟が起草 ゆりきみまさ　ふくおかたかちか　きそう ●木戸孝允が加筆修正した きどたかよし ■②**五榜の掲示** ごぼう　けいじ ●高札で掲示した こうさつ ●一揆・キリスト教を禁止 いっき ■③**政体書** せいたいしょ ●国家権力を太政官に集中 だじょうかん ●アメリカにならう三権分立	■①**戊辰戦争** ぼしん ●鳥羽・伏見の戦い とば　ふしみ ●江戸城の無血開城 むけっかいじょう ●会津若松城が陥落した あいづわかまつじょう　かんらく ■江戸を東京と改称した ■明治天皇が即位した ■一世一元の制 いっせいいちげん ●明治に改元 ■**廃仏毀釈**がおこった はいぶつきしゃく ■**神仏分離令**を出したため しんぶつぶんりれい ■**太政官札**(不換紙幣)の発行 だじょうかんさつ　ふかんしへい
1869	**版籍奉還** はんせきほうかん ●木戸孝允・大久保利通が中心 としみち ●旧大名は知藩事に任命された ちはんじ	■**民部省札**(不換紙幣)の発行 みんぶしょうさつ ■**五稜郭の戦い**(戊辰戦争終結) ごりょうかく ●箱館で**榎本武揚**が降伏した はこだて　えのもとたけあき　こうふく ■東京・横浜間に**電信**を整えた ■**開拓使**(北海道開発をおこなう) かいたくし ●**屯田兵**をおく(1874年〜) とんでんへい
1871	**廃藩置県** はいはんちけん ●**御親兵**を使い断行 ごしんぺい ●知藩事は罷免，東京に集住 ひめん ●中央から**府知事・県令**が任命 けんれい ●正院・左院・右院に組織した せいいん	■**郵便制度**(**前島密**が建議) まえじまひそか ■**華族・士族・平民**に分けた かぞく　しぞく　へいみん ■④**新貨条例** しんかじょうれい ●**円・銭・厘**の十進法を採用 えん　せん　りん　じっしんほう ●金本位制を目標とした →実際は金銀複本位制

1872	■**鉄道**が東京・横浜間に開通 ●**工部省**の管轄でイギリス資本 　による ●**三菱**(郵便汽船三菱会社)を保 　護 ■**陸軍省・海軍省**が設置された ■**徴兵告諭** 　徴兵令の必要性を述べた	■**国立銀行条例**(**渋沢栄一**) ●アメリカの**ナショナルバンク** 　にならった ●民間資本による**兌換銀行券**発 　行を目的 ■⑤**富岡製糸場**(群馬県) ■**田畑永代売買の禁**を解禁 ■**地価**を決定し，**地券**を発行
1873	■**徴兵令**(フランス流) ●**国民皆兵**をスローガン ●満**20歳**に達した**男子**を徴兵 ■**血税一揆**(徴兵令に反対する) ■**内務省**の設置(大久保利通)	■⑥**地租改正条例*** ●地価の**3％**を金納した ●土地所有者が納税した ●1877年に地租は**2.5％**に引下げ ■**祝祭日**が設定された

＊1881年までにほぼ完了

003-B 明治初期の外交

清国	■**日清修好条規**(対等条約) ■⑦**台湾出兵**(西郷従道が中心) ●**琉球漂流民殺害事件**がきっかけ	琉球	■**琉球藩**が設置された ■⑧**琉球処分** ●沖縄県の設置が強行された
朝鮮	■**征韓論** ●**西郷隆盛・板垣退助**が主張 ●**大久保利通**の反対で挫折 ■1876年：⑨**日朝修好条規** ●朝鮮を開国，不平等条約 ●**江華島事件**がきっかけ	その他	■⑩**樺太・千島交換条約** ●**千島**が日本領，**樺太**がロシ 　ア領 ■**小笠原諸島**の領有 ●内務省が管轄した

これだけ！ワード (共通テストの用語選択で出る語句) ─────→ ①**小田原**

これだけ！プチ (共通テスト重要語句) ─────→ 塵芥集

これだけ！フレーズ (共通テスト正誤判断のカギとなるフレーズ)─→ 北条氏

☞ひとこと！アドバイス (得点アップのワンポイント) ─────→ ☞分国法

例

これだけ！
ボイス

2103

明治維新

📢 おこなわれた政策の意図に注目！

　前回は歴史的ドラマのある面白い分野でしたが，今回は一転，地味な単元となります。ただ，この単元も，「どのような意図で，何がおこなわれたか」を理解しながら進んでいくと，楽に頭に入れることができますので，頑張っていきましょう。

❯ 戊辰戦争

　まず，第2講の最後に扱った**戊辰戦争**からです。将軍**徳川慶喜**は**辞官納地**を拒否して，1868年，新政府軍との対決に入ります。①**戊辰戦争**です。しかし，この戦いは，新政府軍の圧倒的な強さによって，3月には江戸城を明け渡すことになります。

　ただし，旧幕府軍の一部の勢力は抵抗を続け，最終的には翌1869年の**箱館**（北海道）でおこった**五稜郭の戦い**まで続きました。箱館で**榎本武揚**が降伏して，戊辰戦争は終結したわけです。

❯ 明治新体制

　江戸城を明け渡された新政府は，早速，**五箇条の(御)誓文**を公布（**1868年**）します。これは明治政府の基本方針声明で，**公議世論・開国和親**を唱えました。

　さらに翌日には，民衆に対して②**五榜の掲示**が出されます。五榜の掲示は，高札という立て札の形で出されました。内容は一揆やキリスト教を禁止したり，儒教の倫理を説いたりと，江戸幕府の支配方針と大差のないものでした。

　そして次に，明治政府は政治体制を発表します。これが，③**政体書**です。ここでは，**太政官に権力を集中**させ，**アメリカにならった三権分立**をめざすことを表明しました。しかし，実際は，三権分立からはかなり離れた体制へと動いていきます。

　また，1868年9月に**明治**と改元し，以後，天皇一代は一元号とする**一世一元の制**が定められ，翌1869年，**東京**が日本の首都となりました。

> **POINT**
>
> [新政府の政策]　天皇の利用と公論の重視
> ① 五箇条の御誓文・政体書（太政官制の復活）
> ② 明治改元（一世一元の制）・東京を首都に
> ③ 五榜の掲示（キリスト教禁止の継続）

▶ 版籍奉還

　江戸幕府が滅亡した段階では，依然として大名が自らの藩を支配していました。明治政府は，この体制を解体しようとします。まず，**1869年**に**版籍奉還**をおこないます。**版**とは**土地**のこと，**籍**とは**戸籍**つまり**人々**のことです。大名が自ら支配している土地と人々を天皇に返すというのが，版籍奉還です。

▶ 廃藩置県

　しかし，版籍奉還が終わっても，旧大名は**知藩事**という形で，藩の運営をおこなっていました。そこで，**1871年**には**廃藩置県**を断行します。廃藩置県とは，**藩を廃止して，その代わりに明治政府が県をおき，地方の行政をおこなう**というものです。

　この結果，知藩事は罷免され，東京に住むことを義務づけられます。また，明治政府は各府県に**府知事・県令**を任命して，地方行政をおこなわせました。

▶ 御親兵

　廃藩置県をおこなうにあたって，反対する勢力が出ないように，明治政府は薩摩・長州・土佐の3藩から，**御親兵**を組織して，改革をおこないました。御親兵は新政府の直属軍です。大名にとっては，藩の莫大な借金を明治政府が肩代わりしてくれることになるので，反対する大名はほとんどいませんでした。

▶ 紙幣の発行

明治政府は，財政難を克服するために，**太政官札**（だじょうかんさつ）と**民部省札**（みんぶしょうさつ）という**不換紙幣**（ふかんしへい）を発行します。不換紙幣とは，<u>金や銀とは交換できない</u>紙幣のことです。☝金や銀と交換できないということは，はっきりいってタダの紙切れです。

政府は，この紙切れをいっぱい発行してしまった結果，後に深刻な**インフレーション**を引きおこすことになりますが，そのあたりのことについては，第4講で詳しくお話ししましょう。

▶ 新貨条例

さて，明治政府は，西洋諸国にならって，<u>十進法（じっしんほう）の貨幣単位</u>をつくろうとしました。江戸時代の貨幣の単位は，両（りょう）・分（ぶ）・朱（しゅ）の四進法で，外国人には非常に計算のしづらいものでした。これでは，貿易などに不便であると考えたわけです。

明治政府は，**1871年**に④<u>新貨条例（しんかじょうれい）</u>を出し，**円（えん）・銭（せん）・厘（りん）の十進法の貨幣単位**を採用しました。そして，同時に**金本位制**を目標としました。金本位制とは，**日本が発行する通貨を金と交換できるようにする**体制のことです。しかし，実際は，金の不足などにより，金本位制は実現せず，金か銀のいずれかと交換するという**金銀複本位制**が導入されることになりました。

▶ 国立銀行条例

新貨条例を出した翌1872年，明治政府は**国立銀行条例**を出します。この公布には，明治時代の財界の中心人物**渋沢栄一**（しぶさわえいいち）が尽力しました。これは，アメリカの**ナショナルバンク**の制度にならったものです。

「国立銀行」という名称ですが，**国立銀行とは**☝<u>国が設立した銀行のことではありません</u>。ここでいう「国立」とは，<u>「国法に基づいて設立された銀行」</u>という意味で，民間銀行なのです。しかも，この国立銀行，ただの民間銀行ではありません。国立銀行とは，「銀行券発行権を有する民間銀行」のことです。つまり**紙幣を発行することのできる民間銀行**なのです。

明治政府は，民間の力で兌換銀行券（だかんぎんこうけん），つまり，金や銀に交換できる紙幣を発行しようとしたわけです。しかし，このころは，民間もそんなにお金がなかったので，あまりうまくいきませんでした。

➤ 地租改正

　明治政府は，太政官札や民部省札を発行しなければならないほど，財政的に苦しい状態でした。なんとかして安定した財政収入を得るためにおこなわれたのが，**地租改正事業**です。

　まず，明治政府は1872年，**田畑永代売買の禁を解禁**します。これは，土地の売買を認めることによって，土地の価格を決めることが目的でした。土地の価格を**地価**といいます。政府は地価を決定して，**地価が表示された地券を土地所有者に発行**しました。

　地価を決定した理由は，その地価を基準に**地租**を決定するためです。**地価の3％を地租**と定めて，地租を**土地所有者**に**金納**させます。これが⑥**地租改正条例**(1873年)です。そうすることによって，政府が安定した現金収入を得られるようにしたわけです。

　この地租は，**江戸時代の年貢収入を減らさない方針**だったため，負担が非常に重いものでした。そのため農民の反発(地租改正反対一揆)がおこり，1877年には**2.5％**に引き下げられました。

POINT

[地租改正による税徴収の変更点]

① 課税対象：収穫高→地価

② 税率：一定せず→地価の３％

③ 納税方法：現物納→金納

④ 納税者：耕作者→土地所有者

➤ 徴兵令

　明治政府は，**国民皆兵**をスローガンにしました。武士を特権階級でなくすためです。政府は，**フランス流**の兵制を採用した**徴兵令**(1873年)を出し，**満20歳**に達した**男子**を徴兵しました。この徴兵令には，働き手を取られるといった理由などで，反対運動がおこります。これを**血税一揆**といいます。

殖産興業事業

　明治政府は，**殖産興業**，つまり新しい産業を発展させるための政策を積極的
におこないました。1873年に**内務省**を設置し，殖産興業を推進しました。また，
群馬県に⑤**富岡製糸場**という官営の模範工場をつくり，内務省が管轄しまし
た。

神仏分離令

　実は，明治政府が最初におこなおうとしたことが，**神道の国教化**でした。律
令国家のときと同じように，天皇を神格化して政治をおこなおうとしたわけで
す。明治政府は1868年に**神仏分離令**を出し，1870年には**大教宣布の　詔**を出
して神道を国教化しようとします。しかし，国民の実情にあわないなどの理由
で，神道の国教化は結局，挫折してしまいます。

　ただ，このときに**廃仏毀釈**といって，各地で仏像を破壊する動きがおき，
その後の宗教界に問題を残すこととなります。

北海道開拓と郵便制度整備

　北海道の管轄機関としては，1869年に**開拓使**が設置されます。また，1874
年以降には**屯田兵**が北海道におかれます。これは，普段は北海道の開拓をおこ
なう兵隊のことで，主に江戸時代に武士だった人が任務にあたりました。

　それから，このころ，**前島密**の建議によって**郵便制度**がはじまったことや，
電信や東京・横浜間で**鉄道**が開通したことなどをおさえておくとよいでしょう。
電信を通じてヨーロッパとも通信できるようになりました。

003-B 明治初期の外交

🔊 清との外交

明治政府は，清と朝鮮，そしてロシアと条約を締結します。

まず，清とは対等条約を締結します。1871年の**日清修好条規**です。ただし，清とは琉球の領有権をめぐって対立しており，**琉球漂流民殺害事件**が台湾でおこると，日本政府は自国民の保護を唱えて，1874年，⑦台湾出兵（征台の役）をおこないます。

琉球の領有権については，1872年に琉球藩をおいて，琉球国王の**尚泰**を藩王としていましたが，⑧琉球処分で沖縄県設置を断行（1879年）しました。しかし，日本と清の間での領土問題は日清戦争終結まで解決しませんでした。

🔊 朝鮮との外交

朝鮮は当時，鎖国政策をとっていました。そこで，日本国内では**西郷隆盛**たちを中心として，朝鮮を武力で開国させようという動きがおきました。これを征韓論といいます。征韓論は，国内政治の確立を優先させるべきだという**大久保利通**たちの手によって，ボツになってしまいます。

その後，1875年の**江華島事件**をきっかけに日本は朝鮮を開国させ，翌1876年，⑨日朝修好条規を締結します。日朝修好条規は，日本の領事裁判権や関税免除を認めさせるなど，朝鮮にとって**不平等な内容**を持つ条約でした。

🔊 ロシアとの外交

ロシアとの間では，**榎本武揚**を公使としてロシアに派遣し，1875年，⑩樺太・千島交換条約を締結しました。これにより，**千島全島を日本領土とする代わりに，樺太がロシア領であることを認めました**。

また，日本はロシアとの間で所属のはっきりしなかった**小笠原諸島**を日本の領有とし，1876年には内務省の管轄におきました。

問題

　次の表は，1871年（明治4年）〜1879年（明治12年）における府，藩，県の数の推移を，主な年月を抜粋して示したものである。

	年月	府	藩	県
a	1871（明治 4）. 6	3	261	41
b	1871（同 4）. 7	3	0	302
c	1878（同 11）. 12	3	1	35
d	1879（同 12）. 12	3	0	36

（内閣統計局史料による）

問1　aからbにかけての変化は，ある改革の結果によるものである。この改革に関連して述べた文として正しいものを，次の①〜④のうちから一つ選べ。

①　この改革は，薩摩，長州，土佐，肥前の4藩主が，まず推進の立場から意見を奏請し，他藩主もこれに続くのを待って実施された。

②　この改革は，太政官や枢密院などの中央政府の官制の整備の結果として可能になった。

③　この改革の後も，旧来の知藩事が引き続き府知事，県令となって租税の徴収などの行政を担当した。

④　この改革は，明治政府が薩摩，長州，土佐の3藩の兵からなる武力を準備して実施した。

問2　cからdにかけての変化は，1872年（明治5年）に設置された琉球藩をめぐる，明治政府のある措置の結果によるものであるが，これは国際的な影響を持つものであった。琉球藩をめぐる諸問題について説明した文として**誤っているもの**を，次の①〜④のうちから一つ選べ。

① この措置をおこなうことは，日清修好条規に定められていた。

② 台湾出兵は，この地域の住民が台湾で殺害されたことが原因となっておこなわれた。

③ 中世以来，この地域は，明国，次いで清国に朝貢していた。

④ この措置は，軍隊を派遣して，藩王(藩主)を廃することによってなされた。

解説

問1 選択肢にはずいぶん難しいことが書かれていますが，表の変化から廃藩置県を示していることがわかります。廃藩置県をおこなうにあたって，反対する勢力が出ないように，明治政府は御親兵というものを組織して，改革をおこないました(▷p.35)。もちろん，こういったことを暗記しておく必要はありません。「なるほど〜」と理解しながら，本書を読んでいけばいいのです。

解答 ④

問2 問題文の「明治政府のある措置」とは，琉球処分のことです。これも，本書の内容を理解しているかどうかですね。「琉球の領有権については，……琉球処分で沖縄県設置を断行(1879年)しました。しかし，日本と清の間での領土問題は日清戦争終結まで解決しませんでした」(▷p.39)とあるので，「日清戦争まで，沖縄の領有権は確定しないんだ〜」と理解していれば，①が誤りであることがすぐにわかりますね。

解答 ①

4 自由民権運動

自由民権運動（1870年代）

政府の動き	民権派の動きなど
■1873年：征韓派参議が下野 ●西郷隆盛・板垣退助・江藤新平・ 後藤象二郎・副島種臣 ■台湾出兵（西郷従道が中心） ●反対派の**木戸孝允**が下野	■①**民撰議院設立の建白書**を左 院に提出 ●板垣退助・江藤新平・ 後藤象二郎・副島種臣 ■**佐賀の乱（江藤新平**らの反乱） ■**立志社**（土佐中心：**板垣退助**）
■**大阪会議**（大久保利通が中心） ●木戸孝允・板垣退助が参議に復帰 ■**讒謗律・新聞紙条例**（弾圧法令）	■**愛国社**（大阪・全国組織）
■**秩禄処分**で禄制を全廃した ●**金禄公債証書**を与えた ■**廃刀令**により武士の特権消失	■不平士族の反乱 ■**立志社建白**が天皇に提出された ●片岡健吉が中心 ■**愛国社**が大阪で再興された
■**地方三新法**（郡区町村編制法・府県 会規則・地方税規則） ■1880年：②**集会条例**で弾圧	■④**国会期成同盟**が結成された ●目標を国会開設に絞った
明治十四年の政変（1881年） ■**開拓使官有物払下げ事件** ●開拓使長官**黒田清隆**が，**五代友 厚**に安価で払い下げようとした ●世論が政府を攻撃した ●**大隈重信**が罷免された ■③**国会開設の勅諭** ●10年後の国会開設を公約した	■⑤**自由党**（板垣退助が中心） ●急進的な自由主義を主張 ■⑥**立憲改進党**（大隈重信が中心） ●イギリス流の議会政治を主張 ■**立憲帝政党**（福地源一郎が中心） ●保守的な御用政党

004-B 自由民権運動（1880年代）

政府の動き	民権派の動きなど
■不換紙幣が増発される ←	（■1877年：西南戦争）
●インフレーションがおこる	■米や生糸の価格が下落した
■松方財政 →	●自作農は没落し，寄生地主が増加
（大蔵卿：松方正義）	■激化事件
●緊縮財政（軍事費を除く）	●1882年：福島事件（福島県）
●デフレ政策	県令三島通庸の圧政への反発
●1882年：⑦日本銀行の設立	福島自由党の河野広中が中心
●国立銀行条例を改正	●高田事件（新潟県）
国立銀行の銀行券発行権を奪う	●群馬事件（群馬県）
●1885年：日本銀行券の発行	●加波山事件（栃木県）
銀兌換紙幣であった	県令三島通庸の圧政への反発
●政府紙幣の銀兌換が開始された	●1884年：秩父事件（埼玉県）
■⑧銀本位制が確立した	●1885年：大阪事件
■集会条例の改正	朝鮮の保守政権打倒計画
■政府の弾圧をおそれ，自由党解党	大井憲太郎・景山英子が中心
■立憲改進党は大隈重信らが脱党	
■1885年：内閣制度 →	■1887年：大同団結運動
●初代内閣総理大臣に伊藤博文	●後藤象二郎が唱えた
■井上馨外相の外交失策が明るみに出た	■1887年：⑩三大事件建白運動
■1887年：⑨保安条例 ←	●地租の軽減，言論・集会の自由，外交失策の回復
●民権派を皇居外3里に3年間追放	

これだけ！ワード（共通テストの用語選択で出る語句）────→ ①小田原

これだけ！プチ（共通テスト重要語句）──────────→ 塵芥集

これだけ！フレーズ（共通テスト正誤判断のカギとなるフレーズ）─→ 北条氏

👆ひとこと！アドバイス（得点アップのワンポイント）──────→ 👆分国法

例

これだけ！ボイス

2104

004-A 自由民権運動（1870年代）

🔈 **議会政治の実現をめざす運動！**

　明治維新から国会開設へと移っていく過渡期に，自由民権運動があります。それでは，自由民権運動はどのようにしておこり，その結果，どのようにして国会が開設されるに至ったかを見ていきましょう。

❯ 征韓論

　まずは，**1870年代前半**からいきましょう。自由民権運動のきっかけは，**西郷隆盛**らが唱えた**征韓論**（▷p.39）です。**朝鮮を武力で開国させよう**。そして，その武力を従来の武士に担ってもらおうというものです。しかし，当時，明治政府で力を持っていた**大久保利通**や**木戸孝允**たちは，征韓論に反対しました。

❯ 自由民権運動の展開と征韓論の挫折

　征韓論を唱えていた人たちは，大久保らに反発して政府から去ります。彼らは，明治政府で力を持っている人たちによる独裁政治をやめさせて，政府内部で公平な話し合いができるようにしようと，①**民撰議院設立の建白書**を左院に提出（1874年）します。これが，自由民権運動のスタートになります。

　同年，土佐（高知県）には**板垣退助**を中心とした**立志社**という政治団体が，翌1875年には，大阪に全国組織である**愛国社**が結成され，自由民権運動は盛り上がりを見せていきます。

▲自由民権運動の演説会

　その一方で，政府をやめた1人の**江藤新平**は**佐賀の乱**（佐賀県・1874年）をおこし，征韓論を実現させようとしますが，これは鎮圧されてしまいます。

大阪会議

　自由民権運動が展開していく中，政府内部では，1874年からはじまった台湾出兵（征台の役）（▷p.39）の是非をめぐって，**木戸孝允**が政府をやめてしまう事件がおこりました。この結果，政府の重要人物の多くが抜けてしまうという事態になっていたのです。

　そこで，政府に残っていた**大久保利通**らは，板垣退助や木戸孝允を政府によび戻すため，1875年に**大阪会議**を開き，次のことを決めました。

POINT

[大阪会議]（1875年）
① 元老院（憲法の起草），大審院（現在の最高裁判所），
　地方官会議（府知事・県令による会議）の設置
② 漸次立憲政体樹立の詔を出す

　まず，大久保は**元老院・大審院・地方官会議**を設置することを約束しました。元老院とは，憲法起草のための機関です。憲法をつくって国会を開設してほしいという彼らの要求にこたえたわけです。また，現在の最高裁判所にあたる大審院や，府知事・県令による会議である地方官会議なども設置します。

　次に，**漸次立憲政体樹立の詔**を出し，立憲体制をつくることめざして前進することを約束しました。この結果，大阪会議の内容に納得した**板垣退助と木戸孝允は政府に復帰**します。ただし，この段階では，いつ国会を開設するかという約束まではしていません。

　一方で政府は，民権運動の弾圧もおこなっていきます。**讒謗律**と**新聞紙条例**を出して，民権運動家が新聞や雑誌で政府を攻撃するのをおさえるのです。

不平士族の反乱

　1870年代後半の自由民権運動のきっかけは，**武士の特権の剥奪**です。1876年，政府は**武士に与えていた秩禄を全廃**します。**秩禄処分**です。代わりに，武士には**金禄公債証書**という，一時金を支給することを記した証書が手渡されますが，この後の収入の道が絶たれたわけです。

　また，**廃刀令**により，武士の刀の所持が禁止されました。この結果，武士はすべての特権を奪われてしまったわけです。反発した武士は，次々と反乱をおこしていきます。主な不平士族の反乱を次にまとめておきます。

[不平士族の反乱]

① 敬神党の乱（1876年・熊本県）：熊本鎮台を襲撃

② 秋月の乱（1876年・福岡県）

③ 萩の乱（1876年・山口県）：前参議の前原一誠が中心

④ 西南戦争（1877年・鹿児島県）：西郷隆盛を首領とした反乱

POINT

　萩の乱と西南戦争は，政府の中心だった人たちによる反乱ということで，政府にも大きな動揺が走りましたが，結局，いずれも鎮圧されてしまいました。

国会開設の要求の高まり

　不平士族の反乱に限界を感じた人たちは，武力ではなく言論に訴えていこうと，方針を転換しました。

　その結果，1877年の西南戦争の最中，**片岡健吉**によって国会開設を要求する**立志社建白**が出されました。また，翌1878年には**大阪**で**愛国社**が再び結成され，言論運動はさらなる盛り上がりを見せます。

　愛国社は，要求を国会の開設に絞り込もうと考えて，1880年，④**国会期成同盟**と改称します。明治政府は，この国会期成同盟の動きを，集会を取りしまる②**集会条例**で弾圧します。

　このころ，明治政府内部では，**伊藤博文**と**大隈重信**が対立していました。大隈重信は国会を即時開設すべきだと主張し，伊藤博文は国会開設を時期尚早であると主張していました。

[政府内部での対立]

　大隈重信　VS　伊藤博文

（国会開設派）　（慎重派）

POINT

　一方で，地方統治制度の整備がはかられます。1878年に郡区町村編制法・府県会規則・地方税規則の**地方三新法**が制定されました。

国会開設の勅諭

1881年,開拓使長官であった薩摩(鹿児島県)出身の**黒田清隆**が自らの地位を利用して,同郷の**五代友厚**に官有物を異常な安価で払い下げようとした**開拓使官有物払下げ事件**がおこりました。これにより,明治政府への反発は強くなり,国会を開設するべきであるという運動は,急激に盛り上がってきます。

さすがの明治政府もこの動きをとめることはできないと考え,③**国会開設の勅諭**を出して,10年後の国会開設を約束します。さらに,明治政府は国会開設運動を盛り上げて政府に迷惑をかけたという理由で,**大隈重信**をやめさせてしまいます(**明治十四年の政変**)。

私擬憲法の作成と政党の結成

国会開設の勅諭を受けて,民権派の人たちは,国会開設に備えて2つの動きを見せます。**民間による憲法草案(私擬憲法)の作成**と**政党の結成**です。

私擬憲法については,次にまとめておきます。

POINT

[私擬憲法]
① 「日本憲法見込案」(立志社)
② 「東洋大日本国国憲按」(植木枝盛)
③ 「私擬憲法案」(交詢社)
④ 「五日市憲法草案」(千葉卓三郎)

政党の結成についてはまず,**板垣退助**が中心となって⑤**自由党**が結成されました。自由党は**フランス流**の急進的な自由主義を主張し,主に農村などで支持を得ました。政府をやめさせられた**大隈重信**は⑥**立憲改進党**を結成します。立憲改進党は自由党のような過激な政党ではなく,**イギリス流**の議会政治を主張しました。

この時期に結成されたのは,明治政府に反発する政党だけではありません。**福地源一郎**らは,政府の御用政党である**立憲帝政党**を組織し,機関誌として『**東京日日新聞**』を発刊しました。

自由民権運動（1880年代）

🜚 松方デフレと寄生地主制の確立

さて，自由民権運動の**1880年代前半**の展開となります。きっかけは，1877年の**西南戦争**です。西南戦争で政府は莫大な戦費を使ってしまいました。西南戦争の戦費をまかなうために，明治政府は**不換紙幣**を大量に発行したのです。紙幣を大量に発行すると貨幣の価値が下がり，**インフレーション**がおこってしまいます。インフレーション，つまり物価高の状況では，明治政府は物を買うことができず，財政難になってしまいます。

そこで，1881年，**大蔵卿**（内閣制度以前は大臣のことを「卿」とよびました）の**松方正義**はデフレ政策をとります。物価の引下げをはかるのです。松方は**軍事費以外の財政を徹底的に切りつめる緊縮財政**をおこないました。

松方の思惑通りに物価は下がったのですが，物価下落の影響を受けたのが農民たちでした。物価が下落した結果，**米や生糸**の価格が暴落します。すると，米や生糸を生産・販売して生活していた農民たちの生活は苦しくなります。しかも，米や生糸の価格がいくら下がっても，地租は下がりません。なぜなら，地租は金納だからです（▷p.37）。

この結果，生活が苦しくなった自作農たちは，土地を手放して小作農となり没落していきます。一方，自作農が手放した土地を買いあさった地主は巨大化し，自ら耕作しなくても生活できる寄生地主となっていくのです。

🜚 激化事件

生活が苦しくなった農民たちは，その原因を政府のデフレ政策であると考え，政府に対して反発を強めました。県令**三島通庸**の圧政に対する反発としておこった**福島事件**（福島県・**1882年**）をはじめ，**高田事件**（新潟県・1883年）・**群馬事件**（群馬県・1884年）・**加波山事件**（栃木県・1884年）・**秩父事件**（埼玉県・**1884年**，困民党による負債減免を要求した最大の武装蜂起）など，各地で**激化事件**があいついでおこりました。

激化事件に対して，政府は集会条例を改正するなどして，徹底的に弾圧をしていきます。このような中，自由党は政府の弾圧をおそれて解党してしまい，

立憲改進党も大隈重信らが脱党して，民権運動は下火になっていきます。

▶ 日本銀行の設立と銀本位制

さて，緊縮財政をおこなっていた**松方正義**大蔵卿は，銀行制度を抜本的に改革します。まず，当時，民間の国立銀行にまかせていた紙幣の発行を⑦**日本銀行**に一元化しようとします。そのため，1882年，中央銀行として日本銀行を設立します。そして，国立銀行条例を改正して，国立銀行が紙幣を発行できないようにします。

その後，日本銀行による紙幣である**日本銀行券**を発行します。日本銀行券は銀と交換できる，**銀兌換**の紙幣でした。最後に，政府が発行する紙幣も銀兌換とします。こうして，日本はすべての紙幣を銀と交換できる⑧**銀本位制**を確立するわけです。

▶ 内閣制度のはじまり

次に，**1880年代後半**の動きです。政府は，国会開設の勅諭で10年後の国会開設を約束していました。この折り返し地点である**1885年**に**内閣制度**がはじまります。**伊藤博文**が**初代内閣総理大臣**となります。

内閣制度のはじまりをきっかけに，下火になっていた自由民権運動は再び盛り上がってきます。後藤象二郎を中心として，民権派の団結をおこなっていこうという**大同団結運動**（1887～89年）がおこり，再び民権運動は盛り上がりを見せるわけです。

当時の政府内部では，外務大臣であった**井上馨**の外交上の失策が問題となっていました（▷p.63）。民権派はすかさずこの問題を追及し，⑩**三大事件建白運動**をおこしました。三大事件建白運動では，外交失策を追及する以外に，地租の軽減や言論・集会の自由を求めました。

これに対して，政府は，国会開設前に混乱がおこることを避けるために，**1887年**，民権派を皇居から3里以上遠くへ3年間追放する⑨**保安条例**を出します。

問題

　政府は，1880年代前半，@増税による歳入の増加と歳出の引き締めで，不換紙幣を処分し，正貨を蓄積した。

　このころ，自由党は，土木工事へ農民を徴用する福島県令三島通庸の政策に反対した。これに対して，三島は自由党員を弾圧した。ⓑ自由民権運動の弾圧によって，三島は「鬼県令」とよばれた。

問1　下線部@に関連して，この時期の財政政策とその影響について述べた文として**誤っているもの**を，次の①〜④のうちから一つ選べ。

① 地主が土地を集積し，大きく成長する契機となった。

② この政策により物価が著しく下落し，深刻な不況が全国におよんだ。

③ 歳出の緊縮はあらゆる分野におよび，軍事費も徹底的に切り詰められた。

④ 農民への負担が増し，土地を手放し小作農に転落する者が続出した。

問2　下線部ⓑに関して述べた次の文Ⅰ〜Ⅲについて，古いものから年代順に正しく配列したものを，下の①〜⑥のうちから一つ選べ。

Ⅰ 大同団結運動と三大事件建白運動の高揚に対し，政府は保安条例を制定した。

Ⅱ 国会開設の勅諭が出ると，自由党や立憲改進党などの政党が結成された。

Ⅲ 征韓論争に敗れた板垣退助らは，民撰議院設立の建白書を左院に提出した。

① Ⅰ—Ⅱ—Ⅲ　　② Ⅰ—Ⅲ—Ⅱ　　③ Ⅱ—Ⅰ—Ⅲ

④ Ⅱ—Ⅲ—Ⅰ　　⑤ Ⅲ—Ⅰ—Ⅱ　　⑥ Ⅲ—Ⅱ—Ⅰ

問3　下線部ⓑに関して述べた次の文X・Yについて，その正誤の組合せとして正しいものを，下の①〜④のうちから一つ選べ。

X 福島事件後，自由党員は加波山を拠点に事件をおこした。

Y 民権運動激化の背景には，インフレーションによる農村の疲弊があった。

① X―正　　Y―正　　② X―正　　Y―誤

③ X―誤　　Y―正　　④ X―誤　　Y―誤

解説

問1 下線部ⓐは，松方正義大蔵卿によるデフレ政策です。デフレ政策により，②にあるように，米などの価格が下落して不況となりました。また，④にあるように，貧しい農民は土地を手放して小作農に転落する者が続出しました。そして，①にあるように，地主は小作農が手放した土地を買い占め，急成長していきます。

　松方正義のデフレ政策は徹底した緊縮財政でしたが，軍事費は削減の対象とはなりませんでした。よって，③が誤りとなります。　　**解答　③**

問2 Ⅲの征韓論争は，1870年代前半におこります。これをきっかけに自由民権運動が盛り上がり，1880年代前半にはⅡにある国会開設の勅諭が出され，民権運動は大きな成果を上げることになるわけです。しかし，1880年代前半の激化事件以降，民権運動は沈静化していきます。これに対して1880年代後半，国会開設に備えて再び民権運動を盛り上げようという動きがおこります。こうして，Ⅰにある大同団結運動と三大事件建白運動が盛り上がりますが，政府はこれを保安条例で弾圧しました。よって，Ⅲ→Ⅱ→Ⅰの⑥が正解となります。　　**解答　⑥**

問3 X　福島事件と加波山事件の年号を知らなくても，福島事件が激化事件のはじまりのころにおこった代表的な事件であるということがわかっていれば，この選択肢は正しいとわかります。

　　　Y　自由民権運動の激化は1880年代前半のことです。1880年代前半には，松方正義大蔵卿の松方財政によりデフレ政策がとられ，米の値段などが下がり，米を生産して生活していた農村は疲弊していきます。つまり，農村の疲弊はデフレが原因であって，インフレーションが原因ではないので，この選択肢は誤りとなります。

　　　よって，正解は②となります。　　**解答　②**

5 立憲政治の確立

立憲政治の確立

内閣	出身	政府	民党など
第1次 ①**伊藤** **博文** (ひろぶみ)	長州 (ちょうしゅう)	1885年：内閣制度 ●**太政官制**(だじょうかんせい)を廃止した	●**帝国議会**：**貴族院**と衆 議院 ●**選挙権**：直接国税を **15円**以上納入した 満③**25歳**以上の**男子** ●**超然主義**：政府の政策 は政党に左右されない
②**黒田** **清隆** (きよたか)	薩摩 (さつま)	■1889年：**大日本帝国憲法** ●**欽定憲法**(きんていけんぽう)・ドイツ流 ●**超然主義**(ちょうぜんしゅぎ)を声明した ■1889年：衆議院議員選挙法	
第1次 ④**山県** **有朋** (やまがた)(ありとも)	長州	■1890年：第1回総選挙 ──▶ ■1890年：第一議会…内閣は **利益線**(りえきせん)の確保を主張	■**民党**(みんとう)が衆議院の過半数 を占有 **立憲自由党**(りっけんじゆうとう)・**立憲改進党**(りっけんかいしんとう)
第1次 **松方** **正義** (まつかた)(まさよし)	薩摩	■第二議会 ■第2回総選挙 ●**品川弥二郎**(しながわやじろう)内務大臣が **選挙干渉**(せんきょかんしょう)をおこなった	■民党は**政費節減**(せいひせつげん)・**民力**(みんりょく) **休養**(きゅうよう)を唱えた ■民党は選挙に勝利した
第2次 **伊藤** **博文**	長州	■**自由党**に接近した ──▶ ■条約改正問題 ■1894年：日清戦争 ──▶	■自由党の**板垣退助**(いたがきたいすけ)が内 務大臣に就任した ■**対外硬派連合**(たいがいこうはれんごう)が条約改 正交渉を批判した ■民党は政府批判を中止
第2次 **松方** **正義**	薩摩	■**進歩党**と提携した ──▶ ■1897年：貨幣法 ●**金本位制**が確立した	■進歩党の**大隈重信**(おおくましげのぶ)が外 務大臣に就任した

第3次 伊藤博文	長州	地租増徴案を提出した ——→	自由党と進歩党が反対し， 憲政党を結成した
⑤大隈 重信	肥前	■隈板内閣 （内務大臣：板垣退助） ■1898年：共和演説事件 ●尾崎行雄文部大臣が辞任	■憲政党の内部対立 ■1898年：憲政党が分裂 ●憲政党（旧・自由党系） ●憲政本党（旧・進歩党系）
第2次 山県有朋	長州	■当初，憲政党が支持した ■1898年：地租増徴案成立 ■1899年：⑥文官任用令 　改正 ■1900年：⑦軍部大臣現 　役武官制 ■1900年：⑧治安警察法	■憲政党は山県内閣に批 　判的になった ■1900年：立憲政友会 ●憲政党と伊藤博文が結成
第4次 伊藤博文	長州	与党：立憲政友会	

005-B 大日本帝国憲法と諸法典

大日本帝国憲法
- ■1889年：発布（欽定憲法）
- ■⑨ドイツの憲法が模範
- ■天皇：統治権を総攬
- ●陸海軍の統帥権を持つ
- ■帝国議会：天皇の協賛機関
- ■内閣：天皇の輔弼機関
- ■国務大臣：天皇に対してのみ
責任を持つ
- ■臣民：権利は法律によって制限

諸法典
- ■1880年：刑法・治罪法の公布
- ●フランス人ボアソナード
- ■皇室典範
刑事訴訟法・民事訴訟法の公布
- ■1890年：⑩民法の公布
- ●民法典論争がおこった
- ■修正民法が公布された
- ■1899年：修正商法の公布
- ■1907年：修正刑法の公布

これだけ！ワード（共通テストの用語選択で出る語句）——→ ①小田原

これだけ！プチ（共通テスト重要語句）——→ 塵芥集

これだけ！フレーズ（共通テスト正誤判断のカギとなるフレーズ）——→ 北条氏

🖐ひとこと！アドバイス（得点アップのワンポイント）——→ 🖐分国法

これだけ！
ボイス

2105

立憲政治の確立

> 📢 **長州と薩摩が交互に組閣！**
> 　明治時代初期の内閣は，長州藩と薩摩藩出身の首相が交互に組閣する時代です。この状況は，大隈重信内閣の前（第3次伊藤博文内閣）まで続きます。

伊藤博文の憲法調査

　第4講で扱った**国会開設の勅諭**（1881年）によって，10年後の国会開設を約束した明治政府は，その準備を進めていきます。国会開設の勅諭の翌1882年に，**伊藤博文**はヨーロッパに行き，憲法調査をおこないます。そこで**グナイスト**や**シュタイン**に学び，君主の権力の強いドイツ流の憲法を日本に取り入れようとします。つまり，天皇の権限の強い憲法をつくることを決めたわけです。

伊藤博文内閣 —— 内閣制度の発足

　1885年には従来の太政官制を廃止して，**内閣制度を発足**させます。最初の**内閣総理大臣**となるのが，ヨーロッパに憲法調査に行った①**伊藤博文**です。伊藤博文は，内閣総理大臣としての仕事をしながら，憲法制定の準備を進めます。そして，いよいよ憲法発布となる直前に，憲法の発布に専念するため，総理大臣を辞任します。

黒田清隆内閣① —— 大日本帝国憲法の発布

　続いての内閣総理大臣は，②**黒田清隆**です。黒田内閣のもとで**大日本帝国憲法**が発布（1889年）されます。大日本帝国憲法は天皇が制定した憲法ということで，**欽定憲法**という形をとります。憲法の内容については， 005-B の「大日本帝国憲法と諸法典」のところで見ていきます。

　さて，当時の首相であった黒田清隆は，大日本帝国憲法が発布された翌日に**超然主義**を声明します。これは，政府の政策は政党の存在によって左右されないという考えです。国会がはじまると，当然政党の人々が政治に参加してく

るのですが，「政党の意見によって政府の政策を変えていかないぞ〜」っていう考えです。これでは何のために国会を開設するのかわかりませんが，政府としては，それだけ政党の影響力がこわかったといえます。

❯ 黒田清隆内閣② ── 衆議院議員選挙法

大日本帝国憲法と同時に出されたのが，衆議院議員選挙法です。<u>選挙をおこなったのは，衆議院のみです。</u>貴族院では選挙はおこなわず，<u>天皇が任命した人を中心に構成</u>しました。

選挙権を持っていたのは，③**25歳**以上の人でした。また，**女性には選挙権がなく，男子のみ**の選挙権となります。しかも，25歳以上の男子なら誰でも選挙権があったわけではなく，**直接国税を15円以上納めた者**だけに選挙権が与えられました。

15円というとたいした金額でないように思えるかもしれませんが，当時，15円以上税金を納めている人といえば，「超」のつく高額納税者です。当時の税金は地租（ちそ）が中心なので，有権者は大地主が中心となります。そして，<u>有権者は全国民のわずか1%</u>しかいませんでした。

❯ 山県有朋内閣 ── 最初の衆議院議員選挙

次の④**山県有朋**（やまがたありとも）内閣のとき，**1890年**に最初の衆議院議員選挙がおこなわれ，最初の議会がはじまります。最初の選挙では，**民党**（みんとう）**が衆議院の過半数を占め**ます。民党とは，政府の政策に対抗する政党です。民党が過半数を占めるということは，多数決で採決すると民党側が勝ってしまうということになります。

しかし，内閣はあくまでも**超然主義**を貫こうとしました。内閣は<u>利益線（りえきせん）（=朝鮮）における権利を確保するために軍備拡大を主張</u>し，ワイロをばらまいて無理やり自分たちの意見を通したのです。

POINT

[大日本帝国憲法]
① 発布（1889年）：黒田清隆内閣，欽定憲法
② 内容：天皇主権，行政府の優位
　　　　二院制（衆議院と貴族院）
→第1回衆議院議員選挙（山県有朋内閣・1890年）

❯ 松方正義内閣

次の**松方正義**内閣において，民党は**政費節減・民力休養**の主張を強めていきます。**政費節減**とは，税金の無駄遣いをなくせということです。具体的には，軍備縮小を訴えるわけです。そして，**民力休養**とは，**地租を中心とした税負担を軽くしろ**という訴えです。内閣は前回同様ワイロをばらまいて，民党の意見を通せないように頑張るわけです。

しかし，それでも自分たちの意見を通すことができなくなった内閣は，衆議院を解散し，再び選挙をおこなうことを決断します。選挙をおこなうことにより，民党の議席数を減らそうと考えたわけです。ただ，普通に選挙をやっても民党の議席数は減らないので，**品川弥二郎**内務大臣を中心に，**選挙干渉**といって民党の人たちに対する選挙妨害をするわけです。

この妨害にもかかわらず，民党は選挙に勝利します。そして，松方内閣は選挙干渉の責任を問われて，その後に退陣します。

❯ 第2次伊藤内閣

松方の後には伊藤が再び就任し，第2次**伊藤博文**内閣となります。伊藤博文は，民党と対立していても前には進まないと考えます。そこで，民党の中で最大の政党であった**自由党に接近**しはじめます。

ちょうどそのころ，**日清戦争**（1894年）がはじまります。すると，**日清戦争をきっかけに，民党の人たちは一斉に政府批判を中止して，政府の予算案や意見にすべて賛成します。** 戦争に負けては大変だからです。こうして，日清戦争を境として，民党と内閣は提携をはじめるわけです。

❯ 憲政党の結成と大隈重信内閣

伊藤の後に再び組閣した第2次**松方正義**内閣も，**進歩党**（もと立憲改進党）と提携します。さらに，その次の第3次**伊藤博文**内閣も民党と提携しようとしますが，伊藤の出した地租増徴案に民党が一斉に反対します。

さきほどもお話ししたように，当時，選挙権を持っていたのは，ほとんどが大地主でした。したがって，民党は地主の嫌がる地租増徴案には賛成できなかったのです。民党は地租を増やさせないようにするため，**自由党**と**進歩党**が合同して，**憲政党**を結成します。

その結果，民党が国会の中で圧倒的に力を持ったため，とうとう**民党が内閣**

を組織するようになります。それが，⑤**大隈重信**内閣です。

　しかし，もともと主張の違う自由党と進歩党が，地租を増やさせないようにするという理由だけで合同したため，この内閣は最初から内部対立をします。

　そして，**尾崎行雄**文部大臣が問題発言（**共和演説事件**）をきっかけに辞任すると，次の文部大臣を誰にするかという問題がおこりました。そして，とうとう憲政党は**憲政党**（旧・自由党系）と**憲政本党**（旧・進歩党系）に分裂します。憲政党の大隈内閣は，わずか4か月足らずで終わってしまいました。

❷ 第2次山県内閣の超然主義政策

　次に出てくるのが，徹底した超然主義を唱えていた**山県有朋**です。山県有朋は，分裂した後の**憲政党**と手を組みます。憲政党も，内閣の中心にいる山県と手を組むことは，メリットがあると考えました。山県は，憲政党を味方につけて，さまざまな**超然主義的な政策**をとります。

　まず，地租増徴案を成立させます。さらに，**政党の人間が高級官吏になれないようにするため，⑥文官任用令**を改正します。また，**現役の陸軍・海軍の幹部でないと陸軍大臣や海軍大臣になれないようにするため，⑦軍部大臣現役武官制**を定めます。政党の影響力を軍部から排除しようとしたわけです。また，社会主義運動や労働運動を取り締まるため，⑧**治安警察法**を制定（**1900年**）しました。

❷ 立憲政友会の結成

　しかし，こういった超然主義的な内容は，憲政党の反発を招きます。反発した**憲政党**は，当時，政府内部で山県有朋と対立していた伊藤博文と手を組み，**立憲政友会**を結成（**1900年**）します。

　その結果，第4次**伊藤博文**内閣の誕生となるわけですが，伊藤内閣は貴族院の反発を受け，まもなく退陣してしまいました。

005-B 大日本帝国憲法と諸法典

▶ 大日本帝国憲法

さきほど述べたように，1889年に発布された**大日本帝国憲法**は，⑨**ドイツ**流の憲法です。憲法作成には，ドイツ人の**ロエスレル**が活躍しました。

この憲法では，**天皇は統治権**の総攬者といって，統治権を一手に握っている者と規定されています。また，**陸軍・海軍を率いる権利**(これを**統帥権**といいます)を持ちます。**帝国議会は独立した機関ではなく，あくまでも天皇に賛同し協力する協賛機関**となり，**内閣も天皇の政治を助ける輔弼機関**となっています。大臣も，天皇に対してのみ責任を持つ，つまり国民に対して責任を持つ必要はないのです。ここからもわかるように，国会も内閣も大臣も，すべて天皇の政治遂行のために協力するという形をとっているわけです。

また，国民は**臣民**といって，**君主**(＝天皇)**に支配される人民**と規定され，その権利は**法律**によって制限を受けました。

▶ 刑法と民法

次に，憲法以外の法律についてお話しします。最初に整備されたのは**刑法**です。この作成は，フランス人**ボアソナード**が中心となります。その後，刑事訴訟法・民事訴訟法も公布され，これで刑法の大系は一応の完成を見るわけです。

続いては，⑩**民法**です。民法も刑法同様，**フランス流**の民法を採用しましたが，これに対しては批判がおこります。**民法典論争**(1890年)です。民法典論争の結果，民法は**ドイツ流**に大きく修正されたうえで公布されることになりました。つまり，家族員に対する戸主の絶大な支配権(**戸主権**)や家督相続など，**家父長制的な家の制度を存続**させるものとなりました。

商法や刑法も，日本の実情にあわせて，この後に大きく改正されていくことになります。

共通テスト演習問題 **5**

問題

問1 次の文Ⅰ～Ⅲについて，古いものから年代順に正しく配列したもの
を，下の①～④のうちから一つ選べ。

Ⅰ　政府は詔勅により，民党の反対をおさえ，予算を成立させた。

Ⅱ　第1回帝国議会では，自由党の一部が予算成立に協力した。

Ⅲ　民権派の再結集に対して，政府は超然主義の立場を声明した。

① Ⅱ—Ⅰ—Ⅲ　　　　② Ⅱ—Ⅲ—Ⅰ

③ Ⅲ—Ⅰ—Ⅱ　　　　④ Ⅲ—Ⅱ—Ⅰ

問2 大日本帝国憲法に関して述べた次の文Ⅹ・Ⅿについて，その正誤の
組合せとして正しいものを，下の①～④のうちから一つ選べ。

Ⅹ　憲法の起草作業は，法律顧問ロエスレルの助言も得て進められた。

Ⅿ　憲法は，国民の代表による会議の議決を経て発布された。

① Ⅹ—正　　　Ⅿ—正　　　② Ⅹ—正　　　Ⅿ—誤

③ Ⅹ—誤　　　Ⅿ—正　　　④ Ⅹ—誤　　　Ⅿ—誤

解説

問1　政府は，大日本帝国憲法が発布されると，Ⅲにあるように超然主義の立
場を表明します。ですから，Ⅲは議会がはじまる前のできごとです。Ⅱは
「第1回帝国議会」と書かれていますね。Ⅰがどの議会かは書かれていません
が，「民党の反対をおさえ，予算を成立させた」とあることから，これは議
会でのできごとと判断できます。Ⅱが第1回帝国議会なので，Ⅰは第1回帝
国議会ではありません。そのため，自動的に第2回以降の議会であることが
わかります。よって，Ⅲ→Ⅱ→Ⅰの順となります。

解答 ④

問2　憲法の起草は，ドイツ人法律顧問ロエスレルなどの助言により進められ
たので，Ⅹは〇。大日本帝国憲法が発布されたとき，まだ議会はなかった
ので，Ⅿは「国民の代表による会議の議決を経て発布された」の部分が誤り。

解答 ②

6 条約改正と日清戦争

006-A 条約改正

年代	担当者	内容	結果
1872	①**岩倉具視** 右大臣	**岩倉使節団** （1871～73年）	目的を条約改正から欧米視察に変更
1878	**寺島宗則** 外務卿	アメリカと交渉し，関税自主権の回復に成功	イギリス・ドイツの反対で挫折した
1882 ～87	**井上馨** 外務卿 外務大臣	■外国人の**内地雑居**を承認 ■**外国人判事**を任用する ■**鹿鳴館**で極端な**欧化主義**による政策	■政府部内での批判 ●谷干城・ボアソナード ■**三大事件建白運動** ■**ノルマントン号事件**
1888 ～89	**大隈重信** 外務大臣	■**大審院**だけに外国人判事を任用する ■国別交渉をおこなう	■反対派が大隈を襲う ■大隈重信は外務大臣を辞任した
1891	**青木周蔵** 外務大臣	イギリスが条約改正に好意的になる	②**大津事件**(ロシア皇太子が襲撃された)で外務大臣を辞任
1894	③**陸奥宗光** 外務大臣	**1894年：日英通商航海条約**（1899年に発効） ●領事裁判権の撤廃 ●最恵国待遇の相互平等 ●関税自主権の一部回復	
1911	④**小村寿太郎** 外務大臣	**1911年：関税自主権の完全回復**	

006-B　日清戦争

朝鮮の動き	日本の動き・その他
■朝鮮は清の属国であった	
■朝鮮国内で親日派が台頭した ◀	■1876年：日朝修好条規
■1882年：壬午軍乱	●朝鮮を開国させた
●大院君(親清派)VS⑤閔妃(親日派)	●不平等条約
●民衆が日本公使館を襲撃した	
■朝鮮は清国に依存するようになる	
■1884年：甲申事変 ◀	■1884年：清仏戦争
●閔妃(親清派)VS金玉均(独立党)	●清が敗北

1885年：⑥天津条約(日本全権…伊藤博文，清国全権…李鴻章)
●日清両軍の朝鮮からの撤兵
●朝鮮出兵の際の相互事前通告

■1889年：防穀令	■1885年：⑧「脱亜論」(福沢諭吉)
●日本への米穀輸出禁止	●日本も欧米列強側に立つべき
■1894年：⑦甲午農民戦争 ▶	■1894年：日清戦争(～95年)
(東学の乱)	●戦局は日本に圧倒的に優位
●農民反乱	
●清国・日本が出兵した	

1895年：下関条約(日本全権…伊藤博文・陸奥宗光，清国全権…李鴻章)
●清国は朝鮮の独立を認める
●⑨遼東半島・⑩台湾・澎湖諸島の割譲
●賠償金2億両(約3億1000万円)
●沙市・重慶・蘇州・杭州の開港

これだけ！ワード (共通テストの用語選択で出る語句) ──▶ ①小田原
これだけ！プチ (共通テスト重要語句) ──▶ 塵芥集
これだけ！フレーズ (共通テスト正誤判断のカギとなるフレーズ)──▶ 北条氏
☝ひとこと！アドバイス (得点アップのワンポイント) ──▶ ☝分国法

これだけ！ボイス

2106

006-A 条約改正

> 📢 **時期把握に注意！**
>
> 　前回の講義では，日本の国内政治について，1900年までお話
> ししましたが，今回は，いったん1870年代までさかのぼって外
> 交史をお話しします。たえず，「政治史でいうとどのあたりの時
> 期かな？」と思い返しながら進んでいってください。

岩倉具視の交渉

　条約改正は，明治時代の開始とともにはじまります。日本が近代国家として
歩んでいくためには，不平等条約をそのままにしておくことは大きなマイナス
だからです。明治時代がはじまってまもなくの**1870年代**には，岩倉具視と
寺島宗則が交渉にあたります。

　①**岩倉具視**は，1871年に使節団を率いてアメリカ・ヨーロッパに向かいま
す。目的は条約改正でしたが，岩倉らは西洋の発展を目の当たりにして，「条
約改正よりも国内の政治体制を整えるほうがさきだ，そうしないと，外国も条
約改正には応じてくれない」と実感します。そこで，**岩倉使節団の目的は，当
初の条約改正から，欧米視察へと変更**されるわけです。

寺島宗則の交渉

　次に交渉にあたるのが**寺島宗則**です。外国と結ばれた条約の中で不平等な
部分は，**関税自主権がない**という点と，**治外法権**であるという2つの点でした
が，**寺島はまず関税自主権の回復をめざして交渉**を開始します。寺島の交渉は
思いのほか順調にいき，アメリカとの間で税権回復に成功します。

　しかし，**当時日本がもっとも貿易をおこなっていた相手であるイギリスが
反対**します。貿易量の多いイギリスとしては，日本が関税自主権を回復するこ
とは，喜ばしくなかったわけです。その結果，条約改正交渉はストップしてし
まいました。

💬 井上馨の交渉① —— 欧化主義

1880年代の条約改正交渉は，井上馨と大隈重信の2人です。**井上馨**は，関税自主権の回復よりも治外法権回復を優先させます。**治外法権**とは，日本国内で罪を犯した外国人を，日本の裁判所で裁くことができないというものです。

井上馨は，この内容を改正させるためには，日本国内における外国人のハンディキャップを取り除くことが必要であると考え，まずは**外国人の内地雑居を承認**します。つまり，外国人が日本国内のどこに住んでもいいと認めるわけです。当時，外国人は原則，神戸や横浜などにあった**居留地**とよばれる特殊な地域にしか住むことを許されていませんでした。井上はそれをなくすことによって，外国人が快く条約改正に応じるような雰囲気をつくろうとしたわけです。

また，井上は裁判所の改革にも取り組みます。「外国人の裁判官がいれば，外国人も安心して日本の裁判を受けてくれるだろう」と考え，**裁判所に外国人判事を任用**することを決めます。そして，外国人が条約改正に応じてくれるように，東京の日比谷に**鹿鳴館**という迎賓館を建てて舞踏会などを開き，しきりに外国人を「接待」します。このように，井上は極端な**欧化主義**による政策をおこないました。

💬 井上馨の交渉② —— 国内の反対運動

しかし，あまりにも外国にこびへつらった井上の条約改正のやり方は，人々の反感を買ってしまいます。そのため，政府内でも農商務大臣の**谷干城**や，フランス人で明治政府の法律顧問であった**ボアソナード**までもが反対します。井上馨の改正交渉に対する反発から民衆運動もおこります。**三大事件建白運動**（▷p.49）です。

その結果，井上馨は，条約改正交渉の途中で外務大臣を辞任することになってしまうわけです。また，1886年，日本人を見殺しにしたイギリス人船長が不当に軽い判決を受ける**ノルマントン号事件**がおこったこともあり，国民の条約改正への要求は一段と高まっていきます。

💬 大隈重信の交渉

井上の後の**大隈重信**は，条約改正交渉に対する反対運動がおこることを何よりもおそれました。そこで，**国別に秘密のうちに交渉を進めていきます**。大

原始
—
古墳
—
飛鳥
—
奈良
—
平安
—
鎌倉
—
室町
—
安土桃山
—
江戸
—
明治
—
大正
—
昭和
—
平成

隈重信は，井上馨の条約改正案を修正し，**外国人判事の任用を大審院**(だいしんいん)**(現在の最高裁判所)だけにします**。大隈の改正交渉は，内容を国民に対して秘密にしていたこともあり，比較的スムーズに進むわけですが，外国の新聞がこの条約改正案を暴露してしまいます。その結果，国内では反発運動がおき，大隈は反対派に爆弾を投げつけられて負傷し，外務大臣を辞任せざるをえなくなってしまいます。

　1890年代になると，条約改正に対してもっとも消極的であった**イギリスが突然，条約改正に対して積極的**になります。当時，イギリスはロシアが南下してくることを警戒していました。そこで，「**ロシアがアジアに南下してくることを防ぐために，日本を味方につけよう**。日本を味方につけるために条約改正をおこなおう」と考えたわけです。

青木周蔵の交渉

　1890年代の交渉担当者は，青木周蔵(しゅうぞう)と陸奥宗光(むつむねみつ)です。**青木周蔵**はイギリスとの交渉に成功し，条約改正一歩手前といったところまでいくのですが，そのときに②**大津事件**(おおつじけん)(1891年)がおこってしまいます。大津事件とは，来日していた**ロシア皇太子が，滋賀県大津で日本の巡査に斬りつけられるという大事件**です。ロシア皇太子は一命をとりとめましたが，青木周蔵は，外務大臣として大津事件の責任をとって辞職してしまいます。

陸奥宗光の交渉

　その後，交渉にあたるのが③**陸奥宗光**です。陸奥宗光は青木周蔵の条約改正交渉を受け継ぎ，**1894年**にイギリスと**日英通商航海条約**を締結します。この条約では，**領事裁判権の撤廃(法権回復)**と，**関税自主権の一部回復**を実現します。👆**1894年といえば，日清戦争のはじまった年です**。

小村寿太郎による条約改正の成功

　韓国併合(かんこくへいごう)の翌**1911年**に，④**小村寿太郎**(こむらじゅたろう)外務大臣によって，日本は**関税自主権を完全に回復**して，**不平等条約が完全に改正**されました。翌1912年に明治天皇が亡くなって，明治時代が終わるので，👆**条約改正という悲願は明治時代に完全に達成された**ということになるのです。

006-B 日清戦争

> 🖋 **戦争までの経緯を確認!**
>
> 次は日清戦争ですが，ここの単元も，日清戦争以前からの流れをしっかりつかんでおかなければいけません。頑張っていきましょう。

❯ 壬午軍乱

明治時代がはじまったころの朝鮮は，**清**の属国で，**鎖国**をおこなっていました。日本は，その朝鮮を，1875年の**江華島事件**(▷p.39)をきっかけに，**1876年に開国**させます。**日朝修好条規**です。日朝修好条規は，治外法権や関税免除などの規定があり，朝鮮にとって不平等な条約でした。

1880年代になると，朝鮮半島で**親日派が台頭**してきます。親日派の中心人物は，国王の妃である⑤**閔妃**(ミンビ)でした。閔妃は国王の父である**大院君**(テウォングン)と対立し，その対立が**1882**年，**壬午軍乱**に発展します。

壬午軍乱では，朝鮮の民衆が日本公使館を包囲し，焼討ちをおこないました。これに対して，日本政府は大いに怒り，朝鮮に対して謝罪と多額の賠償金を要求しました。この日本の強硬な態度を見た閔妃は，親日派であることをやめてしまいます。この結果，朝鮮政府は日本から離れ清国に依存することで，一致団結することになるわけです。

❯ 甲申事変

この後，1884年に，清は**清仏戦争**で敗北，ベトナムがフランスの領土になってしまいます。フランスに負けた清に対して，朝鮮国内では不安が高まります。そして，**金玉均**(キムオッキュン)を中心とした**独立党**が，清への依存をやめるべきだとクーデタをおこします。これが**甲申事変**です。

日本政府は，この独立党を支援します。日本政府が，甲申事変に介入してきたことに危機感を抱いた朝鮮政府は，清に対して出兵をお願いします。その結果，朝鮮半島で，日本の軍隊と清国の軍隊がにらみ合う形になったわけです。

❯ 天津条約と「脱亜論」

　しかし，日本も清国も，ここで戦争をはじめることはマイナスが大きいため，避けたかったのです。そこで，日清両国が和解のために締結したのが，⑥天津条約（1885年）です。天津条約では，日清両軍が朝鮮から撤兵することと，朝鮮に出兵する際は，必ず事前に相手の国に通告することなどを決めました。このときの日本の全権は伊藤博文で，清国の全権は李鴻章です。

　日本が天津条約を結んで和解するという弱腰な対応に対して，福沢諭吉は⑧「脱亜論」を唱えて反発します。脱亜論とは，日本も欧米列強側に立つべきであるという主張です。

　また，朝鮮政府が出した日本への米穀輸出禁止の法律である防穀令に対して，日本政府は猛反発して，この法律を撤回させます。このように，天津条約で和解した後も，日本と朝鮮は緊張状態が続きました。

❯ 甲午農民戦争（東学の乱）と日清戦争

　そのような中，1894年に大規模な農民反乱がおこります。⑦甲午農民戦争（東学の乱）です。東学とよばれる民族宗教の信徒がおこしたこの乱は，非常に大規模だったため，朝鮮政府は清国に出兵を要請し，清国は朝鮮半島に出兵します。清国の出兵を聞いた日本も，朝鮮半島に軍隊を送ります。その結果，甲午農民戦争は平定されましたが，朝鮮半島で再びにらみ合うことになった日本軍と清国軍が軍事衝突をおこし，日清戦争へと発展しました。

❯ 下関条約

　日清戦争では，日本は圧倒的に有利な状態で戦争を進め，翌1895年，山口県下関で講和条約を結びます。下関条約です。下関条約は，さきほどの天津条約と同様，日本の全権が伊藤博文で，清国の全権は李鴻章でした。ただ，下関条約では，当時の外務大臣で，条約改正を成功させた陸奥宗光も参加します。

　下関条約の内容は，清国は朝鮮が独立国家であることを認めて，今までのような属国関係は持たないようにすることと，清国の領土であった⑨遼東半島・⑩台湾・澎湖諸島を日本に割譲し，賠償金として2億両（約3億1000万円）を支払うことを約束させました。また，沙市・重慶・蘇州・杭州の開港も取り決められました。このようにして，清国と朝鮮の間の属国関係は解消されたわけです。

📖 共通テスト演習問題 **6**

問題1

　1858年，幕府は欧米各国と，日米修好通商条約をはじめとする，いわゆる安政の五カ国条約を結んだ。幕府倒壊後，これらの条約を継承した明治政府は，それらが日本に著しく不利な不平等条約であることから，その改正をめざした。しかし，ⓐ条約改正のための欧米諸国との交渉は困難をきわめた。他方で，日本と近隣各国，例えばⓑ中国との関係は，欧米諸国との関係とは大きく異なる展開を示した。

問1　下線部ⓐに関連して述べた文として正しいものを，次の①～④のうちから一つ選べ。

① 日露戦争後に日英通商航海条約が結ばれて，領事裁判権の撤廃が実現した。

② 関税自主権の回復が実現したのは，第一次世界大戦後のことである。

③ ノルマントン号事件は，条約改正の要求が高まるきっかけとなった。

④ 民権派は三大事件建白運動をおこし，外交などを求める意見書を衆議院に提出した。

問2　下線部ⓑについて，日中間の条約**甲・乙**とそれに関連する文Ⅰ～Ⅳの組合せとして正しいものを，下の①～④のうちから一つ選べ。

甲　日清修好条規

乙　下関条約

Ⅰ　台湾出兵の結果，清国に不利な不平等条約として結ばれた。

Ⅱ　日清両国が互いに領事裁判権を認めあう対等条約だった。

Ⅲ　清国が日本に割譲した領土は，三国干渉の結果，すべて清国に返された。

Ⅳ　清国は沙市・重慶・蘇州・杭州の開港を認めた。

① 甲―Ⅰ　　乙―Ⅲ　　② 甲―Ⅰ　　乙―Ⅳ

③ 甲―Ⅱ　　乙―Ⅲ　　④ 甲―Ⅱ　　乙―Ⅳ

解説

　条約改正と日清戦争はともに，前回と前々回に扱った自由民権運動・初期議会と同時期のできごとです。そのため，できごとの前後関係がゴチャゴチャになってしまう受験生が多く，共通テストでもそのあたりをきっちり整理して頭に入れているかどうかを試されます。

問1　①の日英通商航海条約は日清戦争の直前に結ばれた条約で，「日露戦争後」の部分が誤り。②の関税自主権の回復は日露戦争後のことで「第一次世界大戦後」の部分が誤り。④の三大事件建白運動は国会が開かれる前のことなので，「意見書を衆議院に提出」するのは不可能。よって正解は③。ノルマントン号事件の不当な判決が，国民に条約改正の必要性を痛感させました。

解答　③

問2　日清修好条規(にっしんしゅうこうじょうき)は対等条約です。不平等な内容の条約は，朝鮮との間で結ばれた日朝修好条規(にっちょうしゅうこうじょうき)です。よって，**甲**はⅡとなります。また，下関条約(しものせき)の結果，沙市(さし)・重慶(じゅうけい)・蘇州(そしゅう)・杭州(こうしゅう)の開港を決めたため，**乙**はⅣとなり，④が正解となります。三国干渉(さんごくかんしょう)については，次の第7講(▷p.72)で確認します。

解答　④

問題2

　特許登録件数を示す次のグラフと表に関して述べた文X・Yについて，その正誤の組合せとして正しいものを，下の①〜④のうちから一つ選べ。

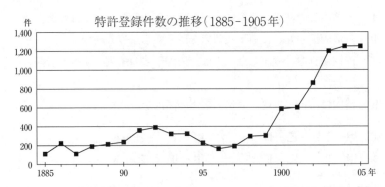

件　特許登録件数の推移(1885-1905年)

日本人・外国人の特許登録件数上位5分類（1905年）

日本人			外国人		
順位	分類	登録件数	順位	分類	登録件数
1	農具	53	1	鉄砲	37
2	点灯具	47	2	車両	25
3	文具	38	2	化学薬品・製品	25
4	織機	37	4	蒸気機関	23
5	養蚕具	32	5	伝動装置	19

（特許庁編『工業所有権制度百年史』により作成）
（注）特許の分類とその表記は，一部省略し，書き改めた。

X 日英通商航海条約に調印した翌年から，外国人の出願も加わり，特許登録件数が上昇に転じた。

Y 1905年の特許登録件数を見ると，日本人が取得した特許は，武器や重工業に関する発明が上位を占めている。

① X—正　　Y—正
② X—正　　Y—誤
③ X—誤　　Y—正
④ X—誤　　Y—誤

【解説】

X 日英通商航海条約に調印したのは日清戦争がはじまった年で，1890年代半ばです。90年代半ばをグラフで見ると，むしろ下降気味なので誤りです。

Y これは，表を見るだけで解ける問題です。1905年の特許登録件数で，武器や重工業が上位を占めているのは，日本人ではなく外国人の取得した特許なので誤りです。

解答　④

7 日露戦争と内閣の展開

日露戦争

ロシアなどの動き	日本の動き
■列強の中国分割	■1895年：三国干渉
●ドイツ：膠州湾を租借	●ロシア・ドイツ・フランス
●ロシア：旅順・大連を租借	●①遼東半島の返還を日本に要求
●イギリス：威海衛・九龍半島を租借	■ロシアに対する敵意を「臥薪嘗胆」と表現
●フランス：広州湾を租借	
■1900年：②義和団事件	
┃●中国分割に対する反発	■日本は列強からなる連合軍に参加
┃●「扶清滅洋」を唱えた	
■1900年：③北清事変	■日英同盟論 VS 日露協商論
┃（清国 VS 連合軍）	↳桂太郎・山県有朋　↳伊藤博文
■1901年：④北京議定書	■1902年：日英同盟協約
●ロシアの満州管理が認められた	
■1905年：ポーツマス条約 ◀	■1904年：日露戦争（～05年）
⑤セオドア＝ローズヴェルト	●旅順陥落・奉天占領・日本海海戦
（アメリカ大統領）の斡旋	●日本の国力は限界に達していた
●韓国に対する日本の指導・監督権	
●旅順・大連の租借権	■1905年：⑦日比谷焼打ち事件
●北緯⑥50度以南のサハリン（樺太）の領有権	●ポーツマス条約で賠償金が取れないことへの不満が爆発
●沿海州・カムチャッカの漁業権	

これだけ！ボイス

2107

		例
これだけ！ワード（共通テストの用語選択で出る語句）	→	①小田原
これだけ！プチ（共通テスト重要語句）	→	塵芥集
これだけ！フレーズ（共通テスト正誤判断のカギとなるフレーズ）	→	北条氏
🖐**ひとこと！アドバイス**（得点アップのワンポイント）	→	🖐分国法

表解板書

007-B 日露戦争前後の内閣

内閣	政治・社会運動	経済・外交
第1次 桂太郎 （かつら たろう）	■1905年：日比谷焼打ち事件	■1902年：日英同盟協約 ■1904年：日露戦争（～05年） ■1905年：ポーツマス条約
第1次 西園寺 公望 （さいおんじ きんもち）	■立憲政友会（りっけんせいゆうかい）の総裁（そうさい）が組閣 ■1906年：日本社会党の結成 ●日本初の合法的社会主義政党	■1907年：恐慌（きょうこう） ●日露戦争にともなう財政難 が原因
第2次 桂太郎	■1910年：⑧大逆事件（たいぎゃく） ●社会主義者の弾圧 ●幸徳秋水（こうとくしゅうすい）らが処刑された ■1911年：特別高等課の設置 ■1911年：工場法公布 ┗1916年施行	■戊申詔書（ぼしんしょうしょ）（節約と勤勉） ■地方改良運動 ●町村の租税負担力を強化 ■1910年：韓国併合条約（かんこくへいごう） ■1911年：関税自主権の回復

007-C 韓国併合

韓国の動き	外交
■1904年：第1次日韓協約 ●韓国に財政・外交顧問（こもん）をおく ■1905年：第2次日韓協約 ●外交権を奪う ●⑨統監府（とうかんふ）をおく（統監：伊藤博文（ひろぶみ）） ■1907年：第3次日韓協約 ●内政権を奪う ●韓国皇帝の退位・韓国軍隊の解散 ■1910年：韓国併合条約 ●⑩朝鮮総督府（ちょうせんそうとくふ）をおく （初代総督：寺内正毅（てらうちまさたけ））	■1904年：日露戦争の開始 ■韓国の保護国化を承認させた ●桂・タフト協定（アメリカ） ●第2次日英同盟（イギリス） ■1907年：ハーグ密使事件（みっし） ●韓国皇帝が密使を送った ■義兵運動（ぎへい）（反日運動）がおこる ■1909年：伊藤博文がハルビンで 安重根（あんじゅうこん）（アンジュングン）に暗殺される

原始 ― 古墳 ― 飛鳥 ― 奈良 ― 平安 ― 鎌倉 ― 室町 ― 安土桃山 ― 江戸 ― 明治 ― 大正 ― 昭和 ― 平成

71

🔔 **日清戦争から日露戦争への流れをつかむ！**

　今回はいよいよ，明治時代の政治の最終講となります。とは
いっても，まだ，明治時代の経済と文化がどっさり残っている
のですが…。

　前回の講義では，日清戦争に日本が勝利したところまでいき
ました。それでは，その後，わずか10年後になぜ日露戦争が勃
発することになるのか？　そのあたりの流れをしっかりおさえ
ていきましょう。

▶ 三国干渉

　まず，ロシアが日清戦争に勝利した日本に対して邪魔してきます。**三国干渉**
（1895年）です。**ロシア・ドイツ・フランス**が，日本に対して「① **遼東半島**
を中国に返すように」と要求するわけです。日本としては，ロシア・ドイツ・
フランスを敵に回しては大変ですから，結果的にこの要求を受け入れることに
し，遼東半島を中国に返還します。

　ロシアのせいで遼東半島を返還せざるをえなくなったということで，日本国
内でのロシアに対する反感は高まっていきます。当時，このロシアに対する敵
意は「臥薪嘗胆」と表現されました。

▶ 列強の中国分割

　1894年の日清戦争をきっかけに，ヨーロッパの国々が中国への侵略をはじ
めます。それが**列強の中国分割**です。**ドイツは膠州湾**を，**ロシアは旅順・大
連**を，**イギリスは威海衛・九龍半島**を，**フランスは広州湾**を租借しました。
租借とは期限を決めた占領のことです。例えば，香港は1997年に中国に返還さ
れました。これは，香港がイギリスに租借された地域だったからです。

　さて，ここでロシアの租借地である旅順・大連に注目してください。実はこ
の**旅順・大連**というのは，**遼東半島**のことです。つまり，日清戦争の結果，日

本のものになるはずだった遼東半島が，ロシアに奪われてしまったのです。

実は，三国干渉の本当のねらいは，ロシアがこの旅順・大連を手に入れたいというところにあったわけです。このため，日本でのロシアに対する反感はさらに高まりました。

▶ 義和団事件と北清事変

列強の中国分割に対して，中国の人たちは黙っていたのかというと，答えは「ノー」です。中国の民衆は，この中国分割に対して反発し，民衆運動をおこします。それが②義和団事件（1900年）です。

義和団は，「扶清滅洋」（清を盛り上げて，ヨーロッパを追い出していこう）をスローガンとします。義和団事件は，とうとう中国政府も動かして，中国と欧米列強との軍事衝突にまで発展します。③北清事変（1900年）です。

北清事変では，日本も連合軍の一員として欧米列強側に立って戦います。というか，日本は「極東の憲兵」と絶賛されるほど大活躍します。その結果，北清事変は連合軍の圧倒的勝利に終わり，④北京議定書（1901年）が結ばれます。しかし，日本の活躍はここではほとんど認められません。北京議定書では，ロシアの満洲管理が定められました。結果的に，ロシアの南下が進み，日本政府はこのロシアの南下を警戒することになるわけです。

▶ 日本政府内の意見対立

日本政府では，2つの意見が対立しました。満洲の権利をロシアに与える代わりに，韓国の権利を日本が手に入れる「満韓交換」をロシアに認めてもらおうという日露協商論（伊藤博文・井上馨ら）と，イギリスと同盟を組んでロシアに対抗しようという日英同盟論（桂太郎・山県有朋ら）です。

この対立は，日英同盟論を唱えていた桂太郎が内閣総理大臣になることで決着し，1902年に日本はイギリスと同盟を結びます。これが日英同盟協約です。

ここでいきなり「韓国」という言葉が出てきます。朝鮮は，日清戦争後の1897年に，国号を大韓帝国と変えていました。

▶ 日露戦争とポーツマス条約

そして，いよいよ1904年には，日露戦争が開戦します。日露戦争では，旅順を陥落させたり，奉天を占領したりと，軍事的には日本が優勢でした。しか

し，日本政府は莫大な戦費を使ってしまい，国家財政が破産寸前にまで追い込まれました。一方のロシアも，国内で革命(血の日曜日事件)がおこるなど，混乱していました。つまり，日本もロシアも戦争の続行が不可能な状態だったのです。

そこで，アメリカ大統領⑤**セオドア＝ローズヴェルト**が仲介役になり，**1905年**に**ポーツマス条約**が締結されました。日本全権は小村寿太郎，ロシア全権はウィッテでした。この条約で日本は，(1)日本が**韓国**を指導し監督することをロシアに認めさせ，(2)**旅順・大連**の租借権，(3)北緯⑥**50度以南**のサハリン(樺太)の領有権，(4)沿海州・カムチャツカの漁業権を手に入れます。

しかし，この条約で日本は賠償金を取ることができませんでした。このことに対して，国民の不満が高まります。莫大な戦費が国民生活を圧迫していたからです。講和条約調印の日には，国民が暴徒化した⑦**日比谷焼打ち事件**がおこりました。

POINT

[日露戦争前後のできごと]

① 列強の中国分割→義和団事件→北清事変(1900年)

② 日英同盟(1902年)：桂太郎内閣(小村寿太郎外相)

③ 日露戦争(1904年)

　→ポーツマス条約(1905年)：小村寿太郎外相

　　・セオドア＝ローズヴェルト(アメリカ大統領)の仲介

　　・韓国の指導・監督権を得る

　　・旅順・大連の租借権

　　・北緯50度以南のサハリン(樺太)領有権

　→日比谷焼打ち事件：講和条約に対する反対運動

007-B 日露戦争前後の内閣

▶ 第1次桂太郎内閣

　第5講では，1900年に成立した第4次伊藤博文内閣までを扱いました。伊藤内閣の後は，**日英同盟論**を唱えていた**桂太郎**内閣の誕生です。✍桂太郎内閣は，日露戦争がおこったときの内閣でもあります。

▶ 第1次西園寺公望内閣

　その次は，伊藤博文の組織した**立憲政友会**の**西園寺公望**内閣です。このころは，ちょうど日露戦争が終わった時期です。日露戦争で莫大な戦費を使ったにもかかわらず，日本は賠償金を取れなかったので，財政が非常に苦しくなります。財政の悪化は国の経済も圧迫し，**1907年**にはとうとう**恐慌**となります。また，**日本社会党**が結成（1906年）されたのも，この内閣のときです。

▶ 第2次桂太郎内閣

　その次は，再び**桂太郎**が内閣を組織します。このように**桂太郎**と**西園寺公望**が交互に内閣を組織していくので，この時代を**桂園時代**といいます。

　さて，第2次桂太郎内閣は，比較的強硬な内閣です。財政を安定させるために，まず，**戊申詔書**（1908年）を出し，国民に「節約と勤勉」を訴えます。次に**地方改良運動**をおこない，租税負担をしっかりおこなわせるようにします。

　社会主義政策については，⑧**大逆事件**（1910年）で，**幸徳秋水**ら社会主義者を弾圧し，同時に思想警察である**特別高等課**を設置します。また，✍**韓国併合**や関税自主権の完全回復も，この内閣のときとなります。

[桂園時代] **POINT**

桂太郎と西園寺公望が交互に組閣する時代
① 桂太郎：長州藩出身（山県有朋の系統）
② 西園寺公望：立憲政友会（伊藤博文の系統）

韓国併合

▶ 第1次日韓協約

　日本は，日露戦争の開戦（1904年）をきっかけに，本格的に韓国を日本の勢力下におこうとします。日本は韓国保護を名目に，韓国国内に軍隊をおく権利を手に入れます。その後まもなく**第1次日韓協約**（1904年）を結び，韓国国内に日本人の財政・外交顧問をおくことにします。

▶ 第2次日韓協約

　1905年，日本は**桂・タフト協定**（アメリカ）や**第2次日英同盟**（イギリス）を結び，これらの国々に，日本が韓国を保護国化することを認めさせます。同年，**第2次日韓協約**により韓国から**外交権を奪い**，韓国に⑨**統監府**をおきます。初代統監には**伊藤博文**が就任します。

▶ 第3次日韓協約

　韓国皇帝は，外交権を奪われたことに対する反発を，オランダのハーグで開かれていた第2回万国平和会議（1907年）で訴えようとします（**ハーグ密使事件**）。しかし，この計画は失敗に終わり，逆に日本政府によって**韓国皇帝を退位**させられます。そして，韓国は**第3次日韓協約**を締結させられます。これにより**内政権を奪われ**，韓国軍も解散させられてしまいます。

▶ 韓国併合

　韓国国民は，第3次日韓協約に対する反発から，反日運動をおこないます。**義兵運動**です。この義兵運動の中で，**伊藤博文が安重根**（アンジュングン）にハルビンで暗殺される事件がおこります。

　伊藤博文の暗殺を受けた日本政府は，韓国を一気に日本領にしてしまいます。それが**1910年の韓国併合**です。朝鮮半島には⑩**朝鮮総督府**がおかれ，初代総督に**寺内正毅**が就任しました。ここから，35年にわたる日本による朝鮮半島統治がはじまるのです。

共通テスト演習問題 7

問題

ⓐ日清・日露両戦争に際して，農村から馬が軍用として徴発されたが，体格の小さな日本馬は軍用に適さないことがしだいに明らかになった。その後，軍の主導で洋種血統の導入による馬の改良が全国的におこなわれ，純粋な在来馬は数を減らしていった。

ⓑ日露戦争は国民に多大な負担を強いておこなわれ，戦時中の増税の多くは戦後も継続された。政府は，国民の不満が社会主義思想の浸透につながることを恐れて，社会主義への弾圧を強めた。

問1 下線部ⓐに関連して，日清・日露戦争前後の状況について述べた文として正しいものを，次の①〜④のうちから一つ選べ。

① 日清戦争では賠償金を獲得できなかったため，国民の不満が高まった。

② 日清戦争後の，いわゆる松方デフレにより，農村の小作地率が上昇した。

③ 日露戦争開戦前には，ロシアとの開戦を主張する世論はほとんど見られなかった。

④ 日露戦争後の農村の疲弊に対し，節約や勤労などを説く戊申詔書が発布された。

問2 下線部ⓑに関連して，日露戦争後の外交について述べた文として正しいものを，次の①〜④のうちから一つ選べ。

① 日本は，韓国の外交権を奪ったほか，漢城に統監府をおいて，伊藤博文がその初代統監となった。

② 日本を中心とする列国の軍隊によって，清国内の民衆反乱が鎮圧され，北京議定書が結ばれた。

③ 日本は，軍艦を江華島付近に派遣して朝鮮を挑発し，これを機に開国させた。

④ 日本は，韓国での権益を確保するために，ロシアと協調する外交路線ではなく，イギリスと同盟を結ぶ路線を選んだ。

解説

問1 共通テストのレベルを若干超える，難しい内容です。しかし，これも選択肢の内容がわかっていれば，消去法で正解することが可能です。

① 日清戦争で，日本は多額の賠償金（ばいしょうきん）を手に入れました。賠償金を獲得できなかったため国民の不満が高まったのは日露戦争のことなので，誤りです。

② 松方（まつかた）デフレは，1880年代前半の松方正義大蔵卿（まつかたまさよしおおくらきょう）によるデフレ政策です。日清戦争後のことではないので，誤りです。

③ 日露戦争開戦前，日本の国内ではロシアと開戦するべきであるという主張が主流を占めました。よって，この選択肢も誤りです。

解答 ④

問2

① 日本は第2次日韓協約で韓国の外交権を奪い，漢城（かんじょう）に統監府（とうかんふ）をおいて，伊藤博文（ひろぶみ）をその初代統監としました。よって，この選択肢は正しいです。

② 清国内の民衆反乱がおこるのは，日清戦争後におこなわれた中国分割がきっかけです。日露戦争後のことではないので，誤りとなります。

③ 日本が朝鮮を開国させたのは，明治維新のころの1870年代です。日露戦争後のことではないので，誤りとなります。

④ 日本がイギリスと同盟を結んだのは日露戦争直前のことです。日露戦争後のことではないので，誤りとなります。

解答 ①

歴史総合の窓

世界のできごとは，同時代の日本を意識しながら確認しましょう。

1 第2次産業革命

日本▷ 001-B ～ 006-B
ペリー来航～日清戦争のころ

19世紀後半になると，**第2次産業革命**がはじまります。石炭に代わって**石油**が利用されます。蒸気力に代わって**電力**が利用されます。それらによって，軽工業に代わって**重化学工業**や電機工業が発展するのです。重化学工業が発展するためには，巨額の資本が必要になります。そこで企業は合併します。銀行に依存するようになります。こうして銀行とつながりのある大企業が，国の経済を支配するようになるのです。

19世紀末から20世紀にかけて，労働者が政党を結成しはじめます。第2次産業革命の結果，工場労働者の数が急増したことが背景です。

2 帝国主義

日本▷ 003-A ～ 005-A
明治維新～大日本帝国憲法発布のころ

産業革命の進展は，**帝国主義**を生み出します。ヨーロッパは新しい植民地を手に入れます。従来の植民地への介入も深めます。具体的には，植民地から原料や燃料を調達して，植民地を商品の販路とするのです。

帝国主義が進むと，**ナショナリズム**（▷p.30）が高揚します。植民地を犠牲にすることで，本国の経済を成長させようという考えがうまれます。植民地を持つ国の国民であることに優越感を持たせるのです。

19世紀後半になると，イギリスの経済成長は鈍ります。鉄鋼の生産量で，アメリカとドイツに抜かれるのです。イギリスは，カナダなど白人が植民地化した地域を自治領とするなどして，植民地との融和を図ります。20世紀初頭になると，イギリスで労働党が結成されます。

フランスは，アフリカと東南アジアに植民地を拡大します。平等を掲げていたフランスですが，植民地に「平等」の原則は適用されませんでした。

ドイツでは，**プロイセン**で革命がおこり国王の権力がとても強い憲法が制定されます。このとき，プロイセン首相になったのが**ビスマルク**です。ビスマルクは，武力によってドイツを統一しようとする「鉄血政策」をとります。プロイセンは，オーストリアとの戦争，フランスとの戦争に勝利し，**ドイツ帝国**（1871年）を誕生させます。プロイセン国王が，ドイツ皇帝ヴィルヘルム1世になるのです。

その後，ヴィルヘルム2世がドイツ皇帝に即位すると，皇帝はビスマルクと対立。ビスマルクは辞任に追い込まれます。

ドイツ帝国は，社会主義者鎮圧法を出して社会主義者を弾圧する一方で，社会保険制度を充実させ，労働者を保護しました。

このころ，ドイツの**鉄鋼**生産がイギリスを上回りました。ドイツが繁栄する

のです。ドイツは世界政策をとり，海軍を増強させます。このことは，海軍国家のイギリスに大きな脅威を与え，第一次世界大戦の遠因となっていくのです。

3 ロシアの南下政策

日本 ▷ 001-A ～ 007-A
ペリー来航～日英同盟のころ

19世紀後半になると，ロシアの**南下政策**は東方に重点がおかれるようになります。それまでは，黒海を手に入れて，地中海やバルカン半島に進出しようとしていました。当時弱体化していたオスマン帝国に戦争を仕掛け，**クリミア戦争**（1853年）をおこしたのです。しかし，クリミア戦争はロシアの敗北に終わります。なぜならイギリスやフランスが，オスマン帝国に味方したからです。イギリスやフランスは，ロシアに南下してもらいたくなかったのです。

そのため，クリミア戦争に敗北したロシアは，シベリア・極東地域に狙いを定めます。バルカン半島に進出することが難しくなったからです。ロシアは，第2次アヘン戦争時に清からアムール川以北を手に入れ，北京条約締結時に清から沿海州を手に入れていました。

ロシアの南下政策は加速します。ロシアは，シベリア鉄道をつくり始めます。義和団事件（義和団戦争）の結果，満洲（中国東北部）を事実上，占領します。

一方で，ロシア国内では，ロシア社会民主労働党が力を持ちます。ロシア社会民主労働党には，革命を目指すボリシェヴィキと，大衆政党を目指すメンシェヴィキの2派がいました。

4 19世紀の世界

日本 ▷ 006-B
日清戦争のころ

アメリカは，世界第1位の工業国になります。

1890年代末，西部の開拓が一段落すると，アメリカ大統領セオドア＝ローズヴェルトは，カリブ海に面した国々に軍事介入する「棍棒外交」を行います。1898年のアメリカ＝スペイン戦争で，スペインが持っていた**フィリピン**を手に入れました。キューバを保護国化しました。パナマを無理やり独立させ，パナマ運河の開設（1904年）にこぎつけました。

アフリカ大陸は，スコットランドの探検家リヴィングストンがアフリカを探検したことをきっかけに，植民地化されます。

イギリスは，アフリカを南北に縦断できるように植民地侵略を進めます。**フランス**は，アフリカ大陸を東西に横断する政策をとります。その結果，スーダンでイギリスとフランスがぶつかる，ファショダ事件（1898年）がおこります。この事件は，フランスが譲歩して解決。最終的には，エチオピアとリベリア以外のすべての地域が植民地化されたのです。

イギリスは，アフリカ北部のカイロ（**スエズ運河**に通じる重要な港），アフリカ南部のケープタウン，インドのカルカッタという3つの港を手に入れて，3C

政策をとりました。

5 19世紀のアジア

日本▷ **004-B** ～ **005-A**
内閣制度のはじまり〜大日本帝国憲法発布のころ

　清仏戦争で清が敗北すると，フランスはベトナムを保護国化します。その後，フランスはベトナムに軍事介入してベトナムを占領します。

　カンボジアもフランスの保護国になり，ベトナムとカンボジアによるフランス領インドシナ連邦（**仏印**）が成立します。フランス領インドシナ連邦には，のちにラオスも加わります。

　アジアでは，**タイ**が植民地化を回避しました。チュラロンコン（ラーマ5世）が近代化政策を行ったためです。

6 清朝の打倒と中華民国

日本▷ **006-A** ～ **006-B**
日清戦争〜関税自主権完全回復のころ

　日清戦争で日本に敗北した清は，日本の近代化をまねて改革しようとする運動を行います。変法運動です。1898年には康有為らが戊戌の変法と呼ばれる改革を行いますが，保守派の西太后が改革を弾圧，康有為は日本に亡命します。これを戊戌の政変といいます。

　義和団事件（義和団戦争）のあと，光緒帝が近代的な制度改革を行います。これを光緒新政といいます。この際，光緒帝は大増税をしたため地方の民衆が反発します。

　そのような中，日本にいた**孫文**が**三民主義**を掲げて中国同盟会を結成します。

　1911年，四川で暴動がおこります。清朝が幹線鉄道を国有化して，鉄道をつくるお金を外国から借りようとしたためです。この暴動は**辛亥革命**に発展。翌1912年，南京にアジアで最初の共和政国家である中華民国が成立します。臨時大総統は**孫文**です。しかし，その後間もなく，**袁世凱**が臨時大総統になり，翌1912年，清朝が滅びます。

　袁世凱は皇帝に就任し帝政をはじめますが，間もなく崩壊。各地の有力者が，中華民国政府の実権をめぐって争いを始めるようになるのです。

▲19世紀後半の世界

8 明治時代の経済

008-A 明治時代の経済

年代	製糸	紡績	綿織物
1880年代	■**1884年**：官営工場の払下げが開始された （軍需工場・鉄道は除外） ■**1886～89年**：企業勃興 （株式会社の設立ブーム。**鉄道業・紡績業**を中心） ■**1890年**：恐慌（企業勃興の反動）		
	■**座繰製糸** ↓ ①**器械製糸**へ	■**手紡・ガラ紡→機械紡績** ■②**大阪紡績会社** ●イギリス製の紡績機械 ■**1890年**：生産量＞輸入量	■生産が回復 ●原料糸： 　輸入綿糸 ●機械：**飛び杼**
1890年代	■日清戦争の賠償金を元手にした産業の発展 ■造船奨励法・航海奨励法（1896年） ■**金本位制**（1897年） ■**特殊銀行**の設立 ■官営③**八幡製鉄所** （1897年着工・1901年操業。大冶鉄山の鉄鉱石を利用）		
	1894年：器械製糸 の生産量が**座繰** **製糸**を上回る	**1897年**：輸出高＞輸入高	**国産力織機**発明 ●**豊田佐吉**考案
1900年代	■**1905年**：日露戦争で賠償金が取れなかった ■**1907年**：恐慌		
	1909年：生糸の輸 出世界一 ●**中国**を抜いた ●④**アメリカ**向け	**重工業の発展** ●日本製鋼所（民間の鉄鋼会社） ●池貝鉄工所（アメリカ式旋盤の製作） ●⑤**鉄道国有法**（1906年・90％が国有化）	

［官営事業の払下げ］

鉱山		その他	
●高島炭鉱（長崎県） → **三菱**		●深川セメント製造所 → **浅野**	
●佐渡金山（新潟県） → **三菱**		●長崎造船所（長崎県） → **三菱**	
●生野銀山（兵庫県） → **三菱**		●新町紡績所（群馬県） → **三井**	
●三池炭鉱（福岡県） → **三井**		●富岡製糸場（群馬県） → **三井**	

008-B 社会運動・労働運動

労働問題	■『日本人』（三宅雪嶺編） ●高島炭鉱の実態を報道 ■⑥『日本之下層社会』 ●横山源之助著 ■⑦『職工事情』 ●農商務省編 ●工場法制定の際の基礎資料となる	労働運動	1897年：⑨労働組合期成会 ●アメリカの労働運動の影響を受ける ●高野房太郎・片山潜が中心
公害問題	足尾鉱毒事件（栃木県） ●⑧田中正造が解決に奔走	社会主義運動	■1901年：⑩社会民主党の結成 ●治安警察法違反で結社禁止 ●安部磯雄・片山潜 　幸徳秋水・木下尚江 ■平民社（幸徳秋水・堺利彦） ●『平民新聞』を発行 ●日露戦争に反対した ■1906年：日本社会党の結成

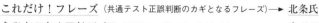

	例	
これだけ！ワード（共通テストの用語選択で出る語句）	→	①小田原
これだけ！プチ（共通テスト重要語句）	→	塵芥集
これだけ！フレーズ（共通テスト正誤判断のカギとなるフレーズ）	→	北条氏
☝ひとこと！アドバイス（得点アップのワンポイント）	→	☝分国法

これだけ！ボイス

2108

明治時代の経済

> 📢 基本をおさえて高得点をゲット！
> 　今回は，明治時代の経済です。苦手にしている受験生が多い
> ところですが，みんなが苦手ということは，しっかり理解すれば，
> 差をつけられる分野ということです。基本事項をきちんとおさ
> えて，高得点をねらえるようにしましょう。

❯ 官営事業の払下げ

　日本の産業革命は，**1880年代**にはじまります。そのきっかけになるのが1884年の**官営工場の払下げの開始**です。このとき，軍需工場と鉄道は払下げの対象外となります。

　工場の払下げによって，工場の経営が民間の手に移るのですが，これをきっかけに新しい株式会社もドンドンでき，**株式会社の設立ブーム**がおこります。**企業勃興**です。企業勃興は**鉄道業・紡績業**を中心におこります。

　しかし，株式会社の設立ブームの結果，株式会社のつくりすぎという現象がおこります。そして，1890年には，企業勃興の反動で恐慌がおこってしまいます。

　官営事業の払下げについては，**三菱は高島炭鉱・佐渡金山・生野銀山・長崎造船所**などの**重工業**が中心でした。一方，**三井は三池炭鉱**以外では，**新町紡績所・富岡製糸場**などの**軽工業**を中心に払下げを受けます。

❯ 1880年代の各産業の発展

　製糸業とは，**生糸**をつくる産業のことです。🖐生糸以外の糸をつくる場合は，製糸業とはいわないので注意してください。さて，その製糸業ですが，1880年代に従来の**座繰製糸**から①**器械製糸**へと技術革新していきます。

　紡績業とは，綿花から綿糸をつくる産業のことです。従来は手で紡いだり（**手紡**），**ガラ紡**という道具を用いて綿糸をつくっていましたが，西洋の機械による**機械紡績**が導入されるようになります。②**大阪紡績会社**では，イギ

リス製の最新式紡績機械を用いて，綿糸の大量生産がおこなわれました。綿糸の大量生産が実現された結果，さきほどお話ししたように企業勃興がおこり，株式会社がドンドン設立されて，**1890年には生産量が輸入量を上回る**ようになります。

綿織物業については，幕末に安い価格の輸入品が入ってきたせいで，国内の綿織物業は壊滅的な打撃を受けていました。しかし，1880年代の技術革新のお陰で，綿織物業も少しずつ息を吹き返していきます。まず，**原材料に外国産の価格の安い輸入綿糸を用いる**ようになります。また，綿織物機械も，イギリス製の**飛び杼（とひ）**という装置を取り入れ，大量生産が可能な綿織物機を用いることによって，コストダウンに成功していくわけです。

鉄道業は，企業勃興の結果1889年に，**営業キロ数で民間鉄道が官営鉄道を上回ります。**また，同じ年には，**官営の東海道線**が全通します。

❯ 日清戦争と重工業の発展

1890年代には，**日清戦争**（1894～95年）がありました。日清戦争の結果，日本は巨額の**賠償金（ばいしょうきん）**を手に入れます。この賠償金を元手（もとで）にして，日本の産業は飛躍的に発展していくわけです。

まず，**造船業・航海業**に対しては，**造船奨励法・航海奨励法**を出して，政府が資金協力をしていきます。次に，1897年には念願の**金本位制**を導入します。また，**特殊銀行**とよばれる銀行による巨額の融資もおこなわれるようになります。

このころになると，従来の軽工業に加えて，**重工業も政府主導型でうまれて**いきます。その先駆けとなるのが，官営の③**八幡製鉄所（やはた）**（福岡県）です。

❯ 1890年代の各産業の発展

さて，各産業について見ていきましょう。まず製糸業については，**1894年に器械製糸の生産量が座繰製糸の生産量を上回ります。**次に，紡績業では，**1897年に綿糸の輸出高が輸入高を上回ります。**産業革命の成果が出てきたわけです。また，綿織物業でも，**豊田佐吉（とよださきち）**が**国産力織機（りきしょっき）**を考案し，より日本の実情にあった綿織物生産が可能となっていきます。

❯ 日露戦争と経済の悪化

1900年代になると，**日露戦争**（1904～05年）がおこります。日露戦争では賠償金が取れませんでしたから，**日本の経済は悪化**していきます。その結果，日清戦争のときのような政府主導型の産業の発展ではなく，**民間を中心とした産業の発展**へと構造を変えていきます。

1909年には，**生糸の輸出が中国を抜いて世界一**になります。主な輸出先は④**アメリカ**でした。また，民間重工業の企業が発展していくのもこの時期です。**日本製鋼所**が設立され，**池貝鉄工所**ではアメリカ式の旋盤という工作機械の製作がおこなわれるようになります。

また，1906年に⑤**鉄道国有法**が出され，鉄道の国有化が推進されるのもこのころとなります。🖐いずれも，どの時期かを念頭において，確認していってください。

[日本の産業革命]

① 官営工場の払下げ→民間の産業活動が活発に

② 日清戦争後→多額の賠償金

　　　　　→金本位制：資本主義経済の基礎ができる

　　　　　→軽工業（製糸業・紡績業・綿織物業）

　　　部門の発展

③ 日露戦争後→重工業（鉄鋼業・造船業）部門の発展

POINT

008-B	社会運動・労働運動

▶ 労働運動のはじまり

　明治時代の労働運動は，産業革命のはじまった **1880年代** からおこります。高島炭鉱(長崎県)の労働者の劣悪な労働条件が，**三宅雪嶺**の創刊した『**日本人**』という雑誌に記されています。また，当時の労働者の実態は，**横山源之助**の⑥『**日本之下層社会**』や，**工場法**制定(1911年)の際の基礎資料となった⑦『**職工事情**』などにも記されていますが，非常に劣悪なものでした。

▶ 足尾鉱毒事件

　古河市兵衛の経営する**足尾銅山**(栃木県)の鉱毒で，渡良瀬川下流一帯が汚染される事件が発生しました。これに何の対策もとらない政府に対して，衆議院議員⑧**田中正造**は，1901年，議員を辞職して天皇に直訴するなど，その解決に奔走しました。

▶ 労働運動の組織化と社会主義運動への進展

　1890年代になると，労働運動は組織化していきます。**アメリカ**の労働運動の影響を受けた労資協調的なものが，1897年に組織されます。⑨**労働組合期成会**です。労働組合期成会は，**高野房太郎・片山潜**が活動の中心となります。

　1900年代に入り，労働運動とともに，社会主義の国家建設を目的とした社会主義運動もおこっていきます。1901年には，日本最初の社会主義政党である⑩**社会民主党**が片山潜・幸徳秋水・安部磯雄らにより結成されますが，第2次山県有朋内閣のときに公布された**治安警察法**(▷p.57)によって，即日，結社禁止となります。

　日露戦争の直前の1903年には，日露戦争の反戦を唱えた**平民社**が，**幸徳秋水・堺利彦**によってつくられ，『**平民新聞**』を発行して社会主義の宣伝をおこないます。

　そして，日露戦争後の1906年には，日本最初の合法的社会主義政党である**日本社会党**も結成されます。

問題

　明治期には，ⓐ殖産興業政策が進められる中，日本各地で炭鉱が開発された。さらに，ⓑ産業革命が達成され，日本の近代化が進んでいった。

　日清戦争やその後の三国干渉は，国民の意識や知識人の動向に大きな影響を与えた。また，日清戦争後の産業の発展はⓒ社会問題の発生をもたらし，種々の運動が展開された。

問1　下線部ⓐに関連して，明治期の経済政策について述べた文として正しいものを，次の①～④のうちから一つ選べ。

① 政府は官営八幡製鉄所を民間に払い下げた。

② 政府はフランスの技術や機械を導入した官営富岡製糸場を設立した。

③ 政府は日清戦争の賠償金をもとに，日本銀行を設立した。

④ 政府が全額出資して，官営の日本鉄道会社を設立した。

問2　下線部ⓑに関して，明治期の産業について述べた文として**誤っている**ものを，次の①～④のうちから一つ選べ。

① 鉄道業において，会社設立ブームがおこった。

② 製糸業の生産高で，器械製糸が座繰製糸を上回るようになった。

③ 綿紡績業では，綿糸の輸出高が輸入高を超えるようになった。

④ 工業生産額が，農業生産額を上回るようになった。

問3　下線部ⓒに関連して，日清戦争後から日露戦争にかけての時期の労働運動に関して述べた文として正しいものを，次の①～④のうちから一つ選べ。

① 各産業の労働組合が，いっせいに賃上げを要求する春闘を展開した。

② 高野房太郎らにより，労働者の団結を促す労働組合期成会が結成された。

③ 日本労働総同盟が，労働争議の指導にあたった。

④ 社会運動の高まりと普通選挙法成立を背景に，労働農民党が結成された。

解説

問1

① 明治政府が官営の工場を民間に払い下げたのは，1880年代のことです。八幡製鉄所は日清戦争の賠償金をもとに日清戦争後に設立された官営工場なので，民間に払い下げられたものではありません。

② 富岡製糸場は，政府が設立した官営模範工場です。仮に「フランスの技術や機械」かどうかということがわかっていなくても，この問題を解くことは可能です。

③ 日本銀行の設立は，1880年代の松方財政のときのできごとです。日清戦争の賠償金を元手におこなわれたのは，金本位制です。

④ 日本鉄道会社は民間の鉄道会社です。仮にこのことを知らなくても，1880年代の産業革命が鉄道業などの株式会社設立ブームによっておこったということがわかっていれば，当時の鉄道事業が民間主導であるということがわかり，この選択肢は誤りであるとわかります。

よって，正解は②となります。　**解答　②**

問2 明治時代には，①にある鉄道業や紡績業の株式会社設立ブームによって企業勃興したことをきっかけに，産業革命がおこります。産業革命の結果，②にあるように，製糸業は器械製糸の生産量が座繰製糸の生産量を上回るようになります。また，③にあるように，紡績業では綿糸の輸出高が輸入高を上回るようになりました。よって，①②③がすべて正しいということから，消去法で選んで，④が誤りであるということがわかります。

④の工業生産額が農業生産額を上回るようになるのは，大正時代の大戦景気の結果です（▷p.105）。　**解答　④**

問3 ①③④の用語はまだ習っていませんが，この問題を解くことは可能です。明治時代には，②にあるように，アメリカの労働運動の影響を受けた高野房太郎・片山潜らが，労働者の団結を促す労働組合期成会を結成しました。

①の「春闘」は太平洋戦争後，③の「日本労働総同盟」は大正時代，④の「労働農民党」は大正末期から昭和初期にかけて成立した無産政党のうちの1つです。　**解答　②**

009-A 明治時代の学問・思想

思想

■①**明六社**：森有礼・福沢諭吉・加藤弘之・西周

●『明六雑誌』が創刊された

●②**福沢諭吉**

『西洋事情』『学問のすゝめ』
『文明論之概略』

●**中村正直**
『西国立志編』『自由之理』

●加藤弘之『人権新説』

■**民権思想**：フランスの**天賦人権論**が基本

●中江兆民『民約訳解』

●**植木枝盛**
『天賦人権弁』『民権自由論』

●馬場辰猪『天賦人権論』

■**民友社**（平民的欧化主義）

●中心：**徳富蘇峰**

●雑誌：『国民之友』

■**政教社**（近代的民族主義）

●中心：**三宅雪嶺**・志賀重昂

●雑誌：『日本人』

■**陸羯南**：国民主義を唱えた

●新聞：『日本』

■**高山樗牛**：日本主義を唱えた

●雑誌：『太陽』

学問

■文明史論

●田口卯吉『**日本開化小史**』

■国文学史

●芳賀矢一・藤岡作太郎

■久米邦武：「神道は祭天の古俗」

教育

■1872年：③**学制**（フランス流）

■1879年：**教育令**（アメリカ流）

■1886年：④**学校令**

●義務教育**4**年

●文部大臣**森有礼**が中心

■1890年：⑤**教育勅語**

■1903年：**国定教科書**制度

■1907年：義務教育**6**年

自然科学

医学

●⑥**北里柴三郎**：破傷風血清療法，伝染病研究所の設立

●**志賀潔**：赤痢菌の発見

薬学

●**高峰譲吉**：アドレナリンの抽出，タカジアスターゼの創製

●**鈴木梅太郎**：オリザニン

●**秦左八郎**：サルバルサン

その他

■**地震学**：**大森房吉**…地震計

■**天文学**：**木村栄**…Z項

■**物理学**

●長岡半太郎：原子構造の研究

●田中館愛橘：地磁気の測定

009-B　明治時代の文学・芸術

文学

■⑦戯作文学：勧善懲悪主義
　仮名垣魯文『安愚楽鍋』

■政治小説
●矢野龍溪『経国美談』
●東海散士『佳人之奇遇』
●末広鉄腸『雪中梅』
■言文一致体
●坪内逍遙
　評論：『小説神髄』
　小説：『当世書生気質』
●二葉亭四迷『浮雲』
■写実主義：硯友社が中心
●尾崎紅葉『金色夜叉』
●山田美妙『夏木立』

■ロマン主義文学
●北村透谷：『文学界』創刊
●樋口一葉『にごりえ』『たけくらべ』
●泉鏡花『高野聖』
■自然主義文学
●島崎藤村『破戒』
●国木田独歩『武蔵野』
●田山花袋『蒲団』
●徳田秋声『黴』『あらくれ』

演劇

■歌舞伎：団菊左時代
■新劇：文芸協会（坪内逍遙）
　　　　自由劇場（小山内薫）

詩歌

■ロマン主義
●新体詩：島崎藤村『若菜集』
●明星派：⑧与謝野晶子
　『みだれ髪』
■正岡子規を中心とした動き
●俳句：『ホトトギス』高浜虚子
●短歌：『アララギ』伊藤左千夫

美術

[伝統美術]
■⑨東京美術学校（1887年）
●工部美術学校
■フェノロサ・岡倉天心が指揮
●狩野芳崖・橋本雅邦らが活躍
■日本美術院（1898年）
●岡倉天心らが設立

[西洋画]
■明治美術会：浅井忠「収穫」
■⑩白馬会：黒田清輝「湖畔」
■東京美術学校に西洋画科が設
　置される

彫刻

■高村光雲「老猿」
●荻原守衛「女」

音楽

■伊沢修二
●東京音楽学校を設立
●滝廉太郎「荒城の月」

これだけ！ワード（共通テストの用語選択で出る語句）→ ①小田原
これだけ！プチ（共通テスト重要語句）→ 塵芥集
これだけ！フレーズ（共通テスト正誤判断のカギとなるフレーズ）→ 北条氏
☝ひとこと！アドバイス（得点アップのワンポイント）→ ☝分国法

例
これだけ！
ボイス

2109

明治時代の学問・思想

📢 内容と特徴に主眼をおく学習を！

　今回は明治時代の文化です。共通テストでは，文化史は作品のタイトルや作者を暗記しているかどうかではなく，「その本の内容はどのようなものなのか」「その絵の特徴は何なのか」などに主眼をおいて出題されます。そのあたりを理解しながら進んでいきましょう。

明六社の結成

　明治時代の思想ですが，**明治時代初期**は，**文明開化**とともに西洋文化を取り入れることが中心となっていました。西洋文化の摂取をおこなっていた人たちは，①**明六社**を結成し，『**明六雑誌**』を発行します。明治6年に結成されたから，明六社というわけです。最初の文部大臣となる**森有礼**や，福沢諭吉・中村正直・加藤弘之・西周などが，明六社の代表的な人物です。

　②**福沢諭吉**は，西洋に行ったときのことをまとめた『**西洋事情**』や，西洋から流入してきた文明論について述べた『**文明論之概略**』，学問をおこなうべきであることを説いた『**学問のすゝめ**』などを著します。西洋文化の流入を積極的に進めた福沢諭吉だからこそ，このような書を残したわけです。

　また，**中村正直**は，西洋で成功した人たちの話を集めた『**西国立志編**』(イギリス人スマイルズ『自助論(Self Help)』の翻訳書)などを著します。

天賦人権の思想

　明治10年代となると，西洋文化の中からフランスの天賦人権論を取り上げて，盛んに唱える人たちが出てきました。**天賦人権論**とは，「**人はうまれながらにして人として生きる権利を平等に有している**」という意味です。

　この天賦人権論から民権思想がうまれ，自由民権運動がおこるわけです。民権思想の中心人物は，**中江兆民**です。中江兆民は**フランスのルソーの書を翻訳した**『**民約訳解**』などを著したため，「**東洋のルソー**」とよばれます。民権思想

を唱えた人物は，中江兆民以外にも，植木枝盛（うえきえもり）・馬場辰猪（ばばたつい）などがいます。

　一方で，民権思想に対して異を唱える人もいました。加藤弘之は『人権新説』を著し，ダーウィンの進化論の理論を用いて，天賦人権論を真っ向から否定しました。ただ，この加藤弘之という人物は，明治時代初期には日本に天賦人権論を紹介した人物でもありました。自分が紹介した学説を，自分で否定したわけです。

❷ 平民的欧化主義・近代的民族主義

　明治20年代になると，今までの「とにかく西洋のものをドンドン取り入れていくんだ〜」といった欧化主義（おうかしゅぎ）に対して，人々が疑問を持ちはじめます。きっかけは，第6講の「条約改正」のところで扱った井上馨（かおる）外務大臣の極端な欧化主義による政策（▷p.63）です。そこでうまれてきたのが，平民的欧化主義（へいみんてきおうかしゅぎ）や近代的民族主義などの考え方です。

　平民的欧化主義は徳富蘇峰（とくとみそほう）が唱えました。平民，つまり一般大衆に利益をもたらすような欧化主義を求めた主張です。徳富蘇峰は民友社（みんゆうしゃ）を組織し，雑誌『国民之友』（こくみんのとも）を創刊して，平民的欧化主義を展開していきます。

　一方で，欧化主義そのものを否定するのが近代的民族主義です。政教社を結成した三宅雪嶺（みやけせつれい）が，雑誌『日本人』で展開していきました。同じような思想的潮流としては，ほかに，陸羯南（くがかつなん）の国民主義や，高山樗牛（ちょぎゅう）の日本主義などがあります。

　その他の学問については，文明史論と国文学史があります。文明史論では，『日本開化小史』（にほんかいかしょうし）を著した田口卯吉（うきち）が有名です。また，久米邦武（くめくにたけ）は「神道は祭天の古俗」（さいてんのこぞく）という論文を発表し，問題となります。

[明治時代の思想]

① 明治初期：明六社（森有礼・福沢諭吉ら）

② 明治10年代：天賦人権論（中江兆民・植木枝盛ら）

③ 明治20年代：平民的欧化主義（徳富蘇峰）

　　　　　　　近代的民族主義（三宅雪嶺）

POINT

教育

☞教育についても，時期別に分類していくことが重要となります。

1870年代には，国民すべてが学ぶべきであるというスローガンのもとに，フランス流の③**学制**（1872年）をスタートさせます。その学制は，1879年にはアメリカ流の自由主義的な**教育令**に変わりますが，日本の実情にあわないということで，翌1880年には大幅に改正されてしまいます。

このように，1870年代の教育制度はまだ方向性が定まっていないという感じでした。しかし，**1880年代**になると，強い国家を建設するために，国家主義的な教育をおこなうということで，方針が固まりました。そこで，1886年に出されたのが④**学校令**です。学校令の制定は，明六社の中心人物で初代文部大臣の**森有礼**が中心となっておこないました。ここで，義務教育が**4年**と定められました。

1890年には，元田永孚・井上毅が起草した**教育に関する勅語**（⑤**教育勅語**）が出されます。天皇に忠誠を誓い，国家を愛する忠君愛国の思想を，教育の場で徹底させていくのです。

1900年代になると，小学校の教科書を文部省の著作に限定し（**国定教科書**），国家が教育を統制できるようにします。また，義務教育の学費をタダにして，**義務教育の期間を6年**に延長（1907年）します。このころには，学費がタダになったこともあり義務教育を受ける人の割合が90％を超え，日本の教育は世界でもトップレベルになりました。

POINT

［教育制度の変遷］

① 1870年代：学制（フランス流）→教育令（アメリカ流）

② 1880年代：学校令（国家主義的）｜義務教育4年

③ 1890年代：教育勅語　　　　　　↓

④ 1900年代：国定教科書　　　　義務教育6年

自然科学

明治時代には，医学・薬学が飛躍的な進歩を遂げ，日本はこの分野で世界をリードする存在となります。まず，⑥**北里柴三郎**が破傷風の血清療法やペスト菌などを発見し，**伝染病研究所**を設立します。また，この伝染病研究所で，

志賀潔が赤痢菌を発見します。

薬学の世界では，アドレナリンを抽出した高峰譲吉，オリザニンの鈴木梅太郎，サルバルサンの秦左八郎などが有名です。☞このあたりについては，例えば「オリザニンの鈴木梅太郎」と書いてあるのを見て，明治時代であると識別できるようにすれば大丈夫です。

あとは，地震学の大森房吉(大森式地震計の発明)，天文学の木村栄(緯度変化のZ項の発見)などが代表的な人物です。

009-B 明治時代の文学・芸術

❯ 明治初期の文学

まずは文学からはじめましょう。明治時代初期は，江戸時代の文学の流れを引いた⑦戯作文学が書かれます。仮名垣魯文の『安愚楽鍋』が有名です。

明治10年代になると，自由民権運動の高まりとともに，自由民権運動などを題材にした政治小説が書かれるようになります。矢野龍溪の『経国美談』などが代表作です。

❯ 写実主義文学とロマン主義文学

1880年代になると，西洋の文学の影響を受けた流れが出てきます。西洋の文学のように，普段使用している言葉を用いた文学作品をつくっていこうという動きがうまれてきます。この文体を言文一致体といいます。

言文一致体については，坪内逍遙が『小説神髄』という評論の中で提唱しました。ただし，言文一致体を実際の小説で実現させたのは，『浮雲』を著した二葉亭四迷です。

このころになると，写実的な表現をした小説を書いていこうという写実主義の動きが硯友社を中心におこります。中心人物は『金色夜叉』の尾崎紅葉などです。

また一方で，文学作品に美意識を求めていく風潮もうまれます。それが，北村透谷を中心としたロマン主義文学です。北村透谷は雑誌『文学界』を創刊し，樋口一葉などの作家を輩出します。また，『高野聖』の泉鏡花などもいます。

自然主義文学

　さて，言文一致体の試みや写実主義の考えをもう一歩おし進める動きが，**明治時代末期**にうまれます。それが**自然主義文学**です。自然主義は，人間の素直な感情や闇の部分・タブーとされている部分を，リアルに表現していこうという考えです。例えば，**島崎藤村**の『**破戒**』は，当時は口にすることすらタブーとされた部落差別問題を赤裸々につづった作品です。

　自然主義は，明治時代の文学の主流となり，**国木田独歩**の『**武蔵野**』や，**田山花袋**の『**蒲団**』などが代表作となります。

POINT

［明治時代の文学］
① 明治初期：戯作文学（仮名垣魯文），政治小説（矢野龍溪）
② 1880年代：言文一致体（坪内逍遙），写実主義（尾崎紅葉）
③ 1890年代：ロマン主義（樋口一葉，泉鏡花）
④ 1900年代：自然主義文学（島崎藤村，国木田独歩，
　　　　　　　田山花袋）

明治時代の詩歌

　詩歌についても，ロマン主義的な詩歌と自然主義的な詩歌がうまれます。ロマン主義的な詩歌としては，**島崎藤村**の『**若菜集**』や⑧**与謝野晶子**の『**みだれ髪**』などが有名です。島崎藤村は，小説では自然主義の立場でしたが，詩歌の世界ではロマン主義的なものを残しています。また，**正岡子規**は俳句の革新と万葉調の和歌の復興を唱えました。

　俳句は，子規の門人である**高浜虚子**を中心に『**ホトトギス**』が創刊されます。短歌では，やはり子規の門人である**伊藤左千夫**が『**アララギ**』を創刊します。

美術

　美術でも，学問と同様に，**明治時代初期**には西洋の美術を積極的に受け入れようとしていました。**お雇い外国人**を招き，**工部美術学校**では西洋美術を学んでいました。

　しかし，**明治20年代**ごろより，日本美術を見直そうという動きが，アメリカ人の**フェノロサ**や**岡倉天心**らを中心におこってきます。彼らの尽力に

よって1887年に創立された⑨東京美術学校は，当初，日本画の学科のみが設置されました。

西洋画では，「鮭」を描いた高橋由一や，明治美術会の浅井忠（代表作「収穫」）がいました。そこに，1890年代になると，フランスから黒田清輝が，ヨーロッパで流行していた絵画を学んで帰国します。

黒田清輝は⑩白馬会を結成し，フランス流の明るい西洋画を広めます。彼の描く「湖畔」などの西洋画はブームとなり，東京美術学校も時代のニーズにこたえて，西洋画の学科を設置するほどになりました。

東京美術学校に西洋画の学科ができたことをきっかけに，岡倉天心は弟子たちとともに東京美術学校を出ていき，日本美術院を創設します。しかし，日本美術院は岡倉天心の死後，すたれていきます。

彫刻については，高村光太郎の父である高村光雲の「老猿」と，荻原守衛の「女」をおさえておけば大丈夫でしょう。

▶ 演劇

明治時代になると，歌舞伎が再びブームになります。市川団十郎・尾上菊五郎・市川左団次という人気役者が出てきたためです。この時代のことを，3人の名前から1文字ずつとって，団菊左時代といいます。

一方で，西洋から伝わった新劇もおこなわれます。西洋の文学を取り入れようとした坪内逍遥は文芸協会をおこし，小山内薫は自由劇場をはじめます。

▶ 音楽

音楽では，伊沢修二が中心となって東京音楽学校が開校され，西洋的な音楽が学ばれます。また，「荒城の月」などを作曲した滝廉太郎のような才能のある作曲家も出てきます。

```
[演劇] ① 歌舞伎：団菊左時代
       ② 新劇：文芸協会（坪内逍遥）
              自由劇場（小山内薫）
[音楽] ① 東京音楽学校（伊沢修二）
       ②「荒城の月」（滝廉太郎）
```
POINT

明治時代の文化の図や絵はこれだけ！

⊕「収穫」(浅井忠)

⊕「湖畔」(黒田清輝)

⊕「老猿」(高村光雲)

⊕「女」(荻原守衛)

共通テスト演習問題 **9**

問題

　1885年には森有礼が初代の文部大臣に就任し，ⓐ教育制度の全面的な改正に着手し，1887年にはそれまでの功績により華族に列せられた。しかし，帝国憲法発布の当日，国粋主義者の襲撃を受けて，その生を終えた。

問1　下線部ⓐに関して，森がおこなった教育制度の改正について述べた文として正しいものを，次の①〜④のうちから一つ選べ。
① 国定教科書制度を採用し，教育に対する国家の統制を強めた。
② 教育勅語を発布し，忠君愛国の精神を教育の基本においた。
③ 小学校令を公布し，原則として義務教育を4年と定めた。
④ 学制を廃止して，自由主義的な教育制度を採用した。

問2　明治期の文化に関して述べた文として**誤っているもの**を，次の①〜④のうちから一つ選べ。
① 歌舞伎は，明治期に団菊左時代といわれる隆盛期を迎えた。
② 『小説神髄』で知られる坪内逍遙は，文芸協会を結成して演劇改良に努めた。
③ 西洋音楽は，まず軍楽隊や学校教育の中に取り入れられていった。
④ 鈴木春信は，多色刷りの華麗な版画である錦絵によって文明開化の様相を描き，人気を集めた。

解説

問1　1880年代の教育制度を答える問題。①の国定教科書制度は1900年代，②の教育勅語は1890年代，④の学制の廃止は1870年代なので，正解は③。森有礼は1886年に国家主義的な学校令を出し，義務教育を4年と定めました。

解答　③

問2　④の鈴木春信は浮世絵作家で江戸時代の人物。①の団菊左時代，②の坪内逍遙の活動，③の西洋音楽はいずれも明治時代のできごとです。

解答　④

10 第一次護憲運動と第一次世界大戦

| 010-A | 第一次護憲運動 |

内閣	政治・経済	外交
第2次 ① 西園寺 公望	■1912年：明治天皇が亡くなる ■1912年：2個師団増設問題 ●陸軍大臣上原勇作が単独で辞職 ●西園寺内閣の総辞職	■1911年：辛亥革命 （清の滅亡） ■1912年：中華民国の建国 ●臨時大総統には孫文が就任した
第3次 ② 桂太郎	■内大臣で侍従長の桂太郎が組閣→「宮中・府中の別」を乱すとの批判がおこる ■桂太郎は立憲同志会を組織し，護憲運動に対抗 ■1913年：大正政変 ◀	■第一次護憲運動 ●スローガン 「③ 閥族打破・ ④ 憲政擁護」 ●立憲国民党：犬養毅 ●立憲政友会：尾崎行雄
	●桂内閣の総辞職	
第1次 山本 権兵衛	■薩摩藩・海軍大将 ■立憲政友会を与党とした ■1913年：文官任用令を再改正 ●政党員の高級官吏任用可に ■1913年：軍部大臣現役武官制を改正 ●予備役・後備役も可とした ■1914年：ジーメンス事件 ●海軍の汚職事件 ●山本内閣退陣	ヨーロッパ諸国の対立図式 三国同盟　VS　三国協商 ドイツ　　　ロシア オーストリア　フランス イタリア　　イギリス

010-B 第一次世界大戦と日本

内閣	政治・経済	外交
第2次 ⑤**大隈** （おおくま） **重信** （しげのぶ）	■**立憲同志会**を与党 ■**総選挙**：立憲同志会が圧勝 ■**2個師団増設**が実現 ■**大戦景気**がおこった ●**輸出超過** 　→債務国（さいむこく）から債権国（さいけんこく）となる ●世界**第3位**の海運国とな 　り，**船成金**（ふななりきん）が出現 ●**鞍山製鉄所**（あんざん）が設立された 　南満洲鉄道（まんしゅう）の経営 ●**工業生産額＞農業生産額** ●工場労働者が150万人突破 ●東京〜猪苗代（いなわしろ）の送電に成功 　→電力が蒸気力を上回る	■**1914年：サライェヴォ事件** ●オーストリア帝位継承者暗殺 ■**1914年：第一次世界大戦** ●⑥**日英同盟**を理由に参戦 ●山東半島の**青島**（チンタオ）を占領 ●赤道以北のドイツ領南洋諸島の 　一部を占領 ■**1915年：**⑦**二十一カ条の要求**（えんせいがい） ●中国の**袁世凱**政府に大部分を承 　認させた ●**山東省**（さんとうしょう）のドイツ権益の継承 ●**旅順**（りょじゅん）・**大連**（だいれん）の租借期限延長 ■**1916年：**第4次**日露協約** ●中国の特殊権益を確認
⑧**寺内** （てらうち） **正毅** （まさたけ）	■**立憲政友会**が支持した ■立憲同志会は**憲政会**と改称 ■総選挙で立憲政友会が圧勝 ■**1917年：金輸出禁止** ●欧米にならって禁止した ■**1918年：**⑨**米騒動** ●米価高騰（こうとう）にともなう反発 ●富山県の漁村の主婦が中心 ●寺内内閣の総辞職	■**1917年：石井・ランシング協定** ●中国の**門戸開放**（もんこかいほう）・**機会均等** ■**1917年：西原借款**（じゃっかん） ●**段祺瑞**（だんきずい）に多額の借款をした ■**1917年：ロシア革命** ●ソヴィエト政権が成立した 　→レーニン主導 ■**1918年：**⑩**シベリア出兵** ●**チェコスロヴァキア**救援が名目 ●**尼港事件**（にこう）（1920年）で軍事衝突

これだけ！**ワード**（共通テストの用語選択で出る語句）──→　①小田原

これだけ！**プチ**（共通テスト重要語句）──→　塵芥集

これだけ！**フレーズ**（共通テスト正誤判断のカギとなるフレーズ）─→　北条氏

🖐**ひとこと！アドバイス**（得点アップのワンポイント）──→　👍分国法

これだけ！
ボイス

2110

010-A 第一次護憲運動

📢 大正時代は前半と後半に分ける！

　今回からいよいよ大正時代となります。大正時代は，第一次世界大戦の終戦前と終戦後で，2つに分けるとよいでしょう。終戦前も2つに分けましょう。前半は桂園時代(西園寺内閣と桂内閣)と山本内閣です。後半は第一次世界大戦期で，大隈内閣と寺内内閣になります。

▶ 第2次西園寺公望内閣 —— 2個師団増設問題

　大正時代最初の内閣は**立憲政友会**の① **西園寺公望**です。このころは，桂太郎と西園寺公望が交互に内閣を組織する**桂園時代**でした。

　西園寺内閣のときに，**2個師団増設問題**(1912年)がおこります。これは，**陸軍が朝鮮に2つの師団を増設したいと要求**したことからはじまります。当時の日本は，日露戦争後の恐慌のまっただ中でした。そのため，内閣は陸軍の要求を拒否します。これに対して陸軍は，**上原勇作陸軍大臣をやめさせて，その後，西園寺内閣に陸軍大臣を出さない**という作戦に出ました。

　当時，陸軍大臣は，陸軍の現役大将・中将から選ばなければいけなかった(**軍部大臣現役武官制**)ので，陸軍が陸軍大臣を出さなければ陸軍大臣が決まらないという事態になります。西園寺内閣は陸軍大臣が決まらないため，内閣を続けることができなくなり，総辞職してしまいます。

▶ 第3次桂太郎内閣

　西園寺内閣の後は，長州閥で陸軍の長老だった② **桂太郎**が，3度目の内閣を組織します。当時，桂太郎は政治の第一線から退いて，宮中の最高職である**内大臣**の職についていました。そのため，当時，厳密に区分されていた「**宮中・府中(政治)の別**」を乱すということで，批判がおこります。

　また，立憲政友会は，自らの内閣を陸軍によってたおされていたわけですから，当然不満がおこります。

❯ 第一次護憲運動

その結果，**第一次護憲運動**がおこります。これは，憲法に基づいた政治をおこなっていこうという訴えで，スローガンは「③<u>閥族打破</u>・④<u>憲政擁護</u>」でした。閥族打破とは，<u>藩閥や官僚勢力が権力を独占している政治体制を打破していこう</u>ということです。憲政擁護とは，<u>憲法に基づいた政治を守っていこう</u>という考えです。運動の中心となった人物は，**立憲政友会**の**尾崎行雄**と，**立憲国民党**の**犬養毅**です。

❯ 大正政変

護憲運動に対して，桂太郎は，新しく**立憲同志会**を組織します。これは第一次護憲運動をつぶすためにつくられた組織といってもよいでしょう。しかし，護憲運動の動きをおさえることはできず，**1913年**，護憲運動をおこなう人たちが国会を取り囲む事態に発展しました。桂内閣は，これ以上内閣を続けることは不可能であると判断し，退陣します。これを**大正政変**といいます。

[第一次護憲運動]（1912〜13年）
① 「閥族打破・憲政擁護」をスローガンに展開
② 尾崎行雄（立憲政友会）・犬養毅（立憲国民党）らが
　 中心
→ 大正政変（1913年）：第3次桂太郎内閣がたおれる

POINT

❯ 第1次山本権兵衛内閣

護憲運動の結果，成立した内閣が第1次**山本権兵衛**内閣です。この内閣は，護憲運動をおこなった**立憲政友会**を与党としましたが，山本自身は海軍出身でした。

山本内閣は，護憲運動の人たちの意見に従って**文官任用令を改正**し（1913年），政党員が高級官吏になれるようにします。また，第2次西園寺内閣がたおれる原因となった**軍部大臣現役武官制（▷p.57）を改正**し（1913年），現役以外の人たち（予備役・後備役）も軍部大臣になれるようにします。

しかし，山本内閣は，海軍の軍艦購入に関する汚職事件（**ジーメンス事件**・1914年）で，総辞職します。

010-B 第一次世界大戦と日本

第一次世界大戦

　山本内閣の後は，当時，国民に人気のあった⑤**大隈重信**が内閣を組織します。大隈内閣は**立憲同志会を与党**としました。そして，大隈内閣のときに，**第一次世界大戦**（1914年）がはじまります。

　第一次世界大戦のきっかけは，当時のヨーロッパでの対立です。**ドイツ・オーストリア・イタリアの三国同盟**と，**ロシア・フランス・イギリスの三国協商**の対立です。この対立が，**オーストリア帝位継承者夫妻暗殺事件（サライェヴォ事件）**を機に，火花を散らすことになります。

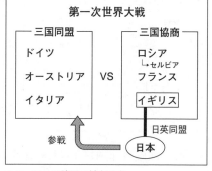

▲ヨーロッパ諸国の対立図式

　オーストリア帝位継承者夫妻を暗殺したのは，ロシア寄りの**セルビア人**でした。この結果，オーストリアとセルビアの対立がおこります。オーストリアとセルビアの対立は，オーストリアと同盟関係を結んでいる**ドイツと，セルビアのバックにいたロシアの対立へと発展**していき，第一次世界大戦となっていくわけです。

日本の参戦

　さて，ここまでの講義からもわかるように，第一次世界大戦というのは，もともと日本とは無関係の戦いです。しかし，当時の外務大臣**加藤高明**の主導により，日本は⑥**日英同盟**を理由に第一次世界大戦に参戦します。

　そして，ドイツの領土であった中国の**青島**を占領します。また，**赤道よりも北にあるドイツの領土であった南洋諸島を占領**します。当時，イギリスがドイツと戦っていたので，ドイツの領土を攻めることによって，ドイツに打撃を与えようということなのでしょう。しかし，これは日本が自らの利益のためだけにやっていたと受けとることもできます。つまり日本は，第一次世界大戦を中国への進出のチャンスと考えて，参戦したともいえるのです。

❷ 二十一カ条の要求

　日本は**1915年**，中国の**袁世凱**政府に対して⑦**二十一カ条の要求**をつきつけ，その大部分を承認させました。そこで「ドイツから奪った**山東省**の領土の所有権は日本にある」と中国に認めさせたり，**旅順・大連**の租借期限を延長させたりします。

　この結果，中国国内では反日運動が盛り上がり，この要求を受け入れた同年5月9日は**国恥記念日**とされました。

❷ 軍備拡張の実現

　第一次世界大戦がはじまった直後の総選挙では，**大隈重信が支持した立憲同志会**が圧勝します。なぜなら，当時は戦争の状況もよく，しかも次で述べる大戦景気といわれる好景気でした。そのため，大隈内閣を支持する人が多かったのです。☞総選挙に圧勝した立憲同志会は，第一次世界大戦の戦況が有利なことを背景に，2個師団増設(▷p.102)を実現します。

❷ 大戦景気

　さて，大隈内閣の時期のもう1つの特徴は，**大戦景気**です。第一次世界大戦がおこると，ヨーロッパから世界中に輸出される品が減ります。ヨーロッパの国々は戦争で手いっぱいとなり，輸出にまで手が回らなかったからです。世界中で品不足がおこり，日本の商品が飛ぶように売れます。こうして日本に好景気がおとずれたのです。

　大戦景気の結果，日本は輸出が多くなり，大幅な**輸出超過**となります。輸出によって，大量のお金が入ってくるようになり，日本は借金を抱える**債務国**から，外国にお金を貸す**債権国**へと成長していきます。

　また，大戦景気の中心は**海運業**でした。当時は，戦争のために船舶の需要が非常に多くなり，日本は世界第3位の海運国となりました。その結果，船舶業で大もうけした商人たちが出てきました。彼らのことを**船成金**といいます。

　また，工業生産が増加し，**工業生産額が農業生産額を上回る**ようになったのもこのころです。工業生産額の増加にともない，工場で働く労働者の数も150万人を突破しました。そして，工業の発展にともなって電力の需要も多くなり，このころに電力の消費量が蒸気力の消費量を上回るようになりました。

　電力の消費量増加には，猪苗代(福島県)の水力発電所でつくった電気を東京

原始 ― 古墳 ― 飛鳥 ― 奈良 ― 平安 ― 鎌倉 ― 室町 ― 安土桃山 ― 江戸 ― 明治 ― 大正 ― 昭和 ― 平成

まで送ることに成功するなど，電力産業の技術の向上も，大きな背景としてあることも知っておいてください。

また，戦争によりドイツからの輸入が途絶えたため，国内の**化学工業**も発展します。薬品や肥料などが，国内でも生産されるようになるわけです。

> **POINT**
>
> [大戦景気]
> ① 輸出超過→債務国から債権国に
> ② 海運景気→・世界第3位の海運国に
> 　　　　　　・船成金がうまれる
> ③ 工業の発展
> 　・工場労働者が150万人を突破
> 　・工業生産額 ＞ 農業生産額
> 　・電力の消費量 ＞ 蒸気力の消費量
> 　・化学工業の発展（ドイツからの輸入途絶が原因）

❯ 寺内正毅内閣

大隈内閣の次に組閣するのが，⑧**寺内正毅**内閣です。寺内内閣は，**立憲政友会**が支持します。前の内閣で与党であった立憲同志会は，寺内内閣に反発して**憲政会**を組織しますが，☝当時は大戦景気のまっただ中です。そのため，寺内内閣を支持する者が多く，総選挙では立憲政友会が圧勝します。

❯ 日本の中国進出

寺内内閣のころから，日本が第一次世界大戦でおこなったことに対して，国際的に承認してもらおうとする動きが出てきます。第2次大隈内閣のときに，第4次**日露協約**（1916年）で，中国における日本の特別な権利を，ロシアに認めてもらいます。

日本は同様のことを，アメリカ・イギリスにもお願いしました。アメリカとは，特派大使の**石井菊次郎**がアメリカ国務長官**ランシング**と**石井・ランシング協定**（1917年）を結びます。そこで，中国の**門戸開放・機会均等**を約束する代わりに，日本の特殊権益をアメリカに認めてもらいます。

また，中国政府（袁世凱の後の**段祺瑞**）に対しては大量のお金を貸し付ける

ことによって，中国政府のトップに反日感情を抱かせないようにしていきます。特使として派遣された**西原亀三**の名をとって，これを**西原借款**（1917年）といいます。

▶ ロシア革命とシベリア出兵

1917年，ロシアで**レーニン**らが**社会主義**革命をおこします。これが**ロシア革命**です。当時の世界の大国であったロシアが社会主義国になりました。これは，世界中にとって大きな脅威でした。

そこで，アメリカやイギリスはロシア革命の邪魔をしようと，シベリアに出兵をおこないます。ただ，革命に対しておおっぴらに内政干渉すれば，これは国際問題に発展しかねません。そのため，あくまでも**チェコスロヴァキア軍**を救援するという名目で，⑩シベリア出兵（1918年）をおこなうのです。

▶ 米騒動

さて，シベリア出兵に日本も参加することになったのですが，そうすると，シベリアに行く兵士の食糧が大量に必要になります。そこで，シベリア出兵に必要な米をできる限り高い値段で買わせようと，米問屋などが，米の値段をつり上げはじめたのです。

こういった米の値段をつり上げる動きに対して，大きな反発がおこります。それが⑨**米騒動**（**1918年**）です。富山県の漁村の主婦が中心となっておこした騒動をきっかけに，米騒動は全国に広がりました。**寺内内閣**は，軍隊を出動させて鎮圧にあたりましたが，その責任をとる形で**総辞職**することになります。

目 共通テスト演習問題 ⑩

問題1

　第一次世界大戦を契機に日本経済は大きく変ぼうした。第一次世界大戦ころの日本経済の動向について述べた文として**誤っているもの**を，次の①〜④のうちから一つ選べ。

① ヨーロッパ諸国がアジア市場から撤退したり軍需注文を増大させたりしたので，貿易は大幅な輸出超過となった。

② 軍需生産が大幅に拡充される一方，民需品の生産が制限されるなど経済統制が強化された。

③ 世界的な船舶不足から，造船・海運業は空前の好況となり，いわゆる船成金が生まれた。

④ ヨーロッパ諸国からの輸入が途絶えたために，染料・薬品などの化学工業が発展した。

解説

　②の経済統制は日中戦争（▷p.145）以降のことなので，②が誤りです。①の輸出超過，③の船成金（ふななりきん），④の化学工業の発展は，大戦景気についての講義でおさえましたね。

解答　②

問題2

　次の文I〜IIIは，明治・大正期の出来事について報道した新聞記事の一部である。報道が発表された時期を古いものから年代順に正しく配列したものを，下の①〜⑥のうちから一つ選べ。

I 昨今の米価暴騰にて困窮愈々その極に達し居れるが，三日午後七時
　漁師町一帯の女房連二百名は(中略)米屋及び米所有者を襲い，所有
　米は他に売らざること(中略)を嘆願し(後略)

II 十年前の二月十日は，明治天皇陛下が強露討伐の詔勅を下し給える
　日なり(中略)沸騰せる国民は今や此日を以て，山本内閣に対する宣
　戦の烽火を挙げて(中略)議院に迫らんとす。

III 新帝御践祚(注)の初に当り，此の如き不詳なる政変を見るに至りし
　(中略)桂公の内閣を組織せんとするに当り，吾人は極力閥族政治の
　打破を期せんとす。

　(注)践祚：皇太子が天皇の位につくこと。

① Ⅰ─Ⅱ─Ⅲ 　　② Ⅰ─Ⅲ─Ⅱ 　　③ Ⅱ─Ⅰ─Ⅲ

④ Ⅱ─Ⅲ─Ⅰ 　　⑤ Ⅲ─Ⅰ─Ⅱ 　　⑥ Ⅲ─Ⅱ─Ⅰ

解説

III 「新帝御践祚」は注釈を見ると「皇太子が天皇の位につくこと」と記されてい
　ます。この時に政変がおこり「桂公の内閣」を打破しようという運動がおこっ
　たとあるので，第一次護憲運動の内容であると連想できます。

II 十年前に，明治天皇がロシアを討伐する詔勅を出したとあります。これは
　日露戦争と連想できます。その十年後に「山本内閣に対する宣戦の烽火」と
　あるので，この内閣は第一次護憲運動の結果成立した山本権兵衛内閣であ
　るということがわかり，第一次護憲運動の後のできごとであると判断できま
　す。ですから，ⅡはⅢの後であることがわかります。

I 「米価暴騰」により「漁師町一帯の女房(漁村の主婦)」が「米屋及び米所有者を
　襲い」とあるので，米騒動の内容と推測できます。米騒動は第一次世界大戦
　が始まった後のできごとなので，Ⅱの後にきて，Ⅲ→Ⅱ→Ⅰの⑥が正解で
　す。

解答 ⑥

11 ワシントン体制と第二次護憲運動

011-A 原内閣と大戦後の世界の動き

内閣	政治・経済	外交
① 原敬 （はらたかし）	■ **立憲政友会**内閣 （りっけんせいゆうかい） ■ 首相は**平民宰相**とよばれた （へいみんさいしょう） ■ 普通選挙・社会政策には慎重 ■ 1919年：選挙権の納税資格を引下げ（**10円**から**3円**に） ■ 1919年：**小選挙区制**を導入 ■ 総選挙で**立憲政友会**が圧勝 ■ 1920年：**戦後恐慌** （せんごきょうこう） ● 大戦景気が終わった ■ 1921年：原敬が暗殺された	■ 1918年：**第一次世界大戦終結** ■ 1919年：**パリ講和会議** ● 日本全権…西園寺公望 （さいおんじきんもち） ■ 1919年：② **ヴェルサイユ条約** ● 山東省の旧ドイツ権益を継承 ● 赤道以北の旧ドイツ領南洋諸島の委任統治 （いにんとうち） ■ 1919年：③ **三・一独立運動** （さんいち）（朝鮮） ■ 1919年：④ **五・四運動**（中国） （ごし） ■ 1920年：⑤ **国際連盟**が発足 ● 日本は常任理事国になった
高橋 是清 （これきよ）	**立憲政友会**内閣	1921年：**ワシントン会議**（〜22年） ● ワシントン体制が確立した

これだけ！ボイス

2111

これだけ！ワード（共通テストの用語選択で出る語句）	→ ① 小田原
これだけ！プチ（共通テスト重要語句）	→ 塵芥集
これだけ！フレーズ（共通テスト正誤判断のカギとなるフレーズ）	→ 北条氏
🖐ひとこと！アドバイス（得点アップのワンポイント）	→ 🖐分国法

例

011-B ワシントン会議

1921年	1922年	1922年
⑥四カ国条約	⑦九カ国条約	ワシントン海軍軍備制限条約
アメリカ・イギリス・日本・フランス	アメリカ・イギリス・日本・フランス・イタリア・中国・オランダ・ポルトガル・ベルギー	アメリカ・イギリス・日本・フランス・イタリア
●太平洋諸島に関する条約 ●日英同盟協約を廃棄	●中国の領土と主権を尊重 ●石井・ランシング協定の廃棄 ●二十一カ条の要求の一部を放棄 ●山東省のドイツ権益を返還	●主力艦の保有量制限（米：英：日：仏：伊＝5：5：3：1.67：1.67） ●主力艦の10年間の建造禁止

011-C 第二次護憲運動

内閣	政治・経済	外交
加藤友三郎		1922年：シベリア出兵から撤兵
第2次 山本権兵衛	■1923年9月1日：⑧関東大震災 ■1923年：⑨震災恐慌 ■山本内閣が退陣した	■朝鮮人・中国人・社会主義者などが殺された ●甘粕事件・亀戸事件など ■1923年：虎の門事件 ●摂政の裕仁親王を社会主義者が狙撃（後の昭和天皇）
清浦奎吾	■⑩超然主義政策 ●貴族院勢力を背景とした内閣 ■総選挙で護憲三派が圧勝	■第二次護憲運動 ●護憲三派が中心となった 　憲政会：加藤高明 　立憲政友会：高橋是清 　革新倶楽部：犬養毅

表解板書

原始／古墳／飛鳥／奈良／平安／鎌倉／室町／安土桃山／江戸／明治／大正／昭和／平成

111

011-A　原内閣と大戦後の世界の動き

> ⚔ **大正時代の後半は3つの時期に分ける！**
>
> 　今回は大正時代後半となります。大正時代の後半は，まずは
> 第一次世界大戦の戦後処理の原内閣と高橋内閣，関東大震災前
> 後の加藤友三郎内閣と山本内閣，そして第二次護憲運動の清浦
> 内閣と加藤高明内閣に分かれます。

▶ 原敬内閣の政治

　前回は，寺内内閣が米騒動をきっかけに総辞職したところまでを扱いました。
その後，1918年，内閣総理大臣になるのが，**立憲政友会**の**総裁**で衆議院に議
席をおいた①**原敬**です。原敬は平民出身の総理大臣ということで，**平民宰相**
とよばれ，国民から歓迎されましたが，普通選挙や社会政策には消極的でした。
普通選挙については，<u>衆議院議員選挙権の納税資格を，直接国税10円以上か
ら直接国税3円以上に引き下げる</u>にとどまりました。

　また，原内閣は1つの選挙区から1人だけ当選する**小選挙区制**を採用しまし
た。現在の衆議院でも，小選挙区制を導入しています。この小選挙区制だと，
1つの選挙区から1人しか当選しないため，国民の支持を一番受けている政党
の人しか当選しない傾向になります。その結果，<u>当時もっとも支持を得ていた
立憲政友会が，選挙で圧勝</u>するのです。

▶ ヴェルサイユ条約

　さて，1918年に第一次世界大戦が終結します。終結後は**パリ講和会議（1919
年）** が開かれ，②**ヴェルサイユ条約**が締結されます。パリ講和会議の日本全
権は，前の立憲政友会の総裁であった**西園寺公望**でした。

　ヴェルサイユ条約の内容のうち，日本史で重要なのは，日本に関する内容で
す。まず，<u>山東省にあったドイツ領は今後，日本の領土になる</u>ということが決
められました。また，<u>赤道よりも北にあるドイツ領の南洋諸島は，日本の委任
統治</u>になります。これは占領はしていないが，統治を任された状態を指します。

❯❯ 民族自決と反日運動

　パリ講和会議では、「第一次世界大戦がおこった原因は、植民地侵略である」とされました。そこで、「植民地侵略をなくしていこう」ということが、パリ講和会議で決められます。これを**民族自決**といいます。

　しかし、この民族自決の原則は、ヨーロッパ以外の国々には適用されませんでした。これに対して、朝鮮で「朝鮮にも民族自決を認めろ！」という反発がおきます。この朝鮮半島における独立運動が③**三・一独立運動**（1919年）です。

　また、このころ中国でおこった反日運動が、④**五・四運動**（1919年）です。中国ではヴェルサイユ条約の際に、二十一カ条の要求が廃棄されることを期待していました。しかし、二十一カ条の要求については、パリ講和会議ではほとんど議論されませんでした。このことに対する反発が、五・四運動です。

❯❯ 国際連盟の発足と戦後恐慌

　ヴェルサイユ条約が締結された翌**1920年**には、アメリカ大統領**ウィルソン**の提案で⑤**国際連盟**が発足します。第一次世界大戦という、世界中を巻き込んだ戦争がおこったわけです。世界中の人々は、「もう二度とあんな戦争はおこさないようにしよう」という誓いを立てて、国際平和のための組織を設立したわけです。この国際連盟で、日本は**常任理事国**になります。

　第一次世界大戦が終わった結果、**大戦景気**は終わってしまいます。日本の好景気は、ひとえに第一次世界大戦があったからこその好景気だったからです。日本は一転して好景気から不況へと転落していきます。**戦後恐慌**です。またこの不景気の中、立憲政友会の汚職事件が発覚します。そのような中、1921年に原敬は一青年によって暗殺されてしまいます。

❯❯ 高橋是清内閣とワシントン会議

　原内閣の後は、同じ立憲政友会の**高橋是清**が内閣総理大臣となります。☝高橋内閣といえば、ずばりワシントン会議です。

　ワシントン会議は、1921〜22年に開かれた会議です。この会議では、「第一次世界大戦は世界中の国々が軍備拡張を続けた結果だ」と結論づけ、**軍備縮小をおこなうことによって世界平和を維持していくことを目的**としました。そのため、多くの軍縮条約が結ばれます。その代表的なものが、四カ国条約・九カ国条約・ワシントン海軍軍備制限条約です。

011-B　ワシントン会議

四カ国条約

⑥四カ国条約は、太平洋の島々についての平和を目的として結ばれた条約です。この条約で、日本はイギリスとの間にあった**日英同盟協約を廃棄**することになってしまいます。日露戦争を有利に進め、韓国併合を促進し、第一次世界大戦の参戦理由にもなった日英同盟を廃棄するということは、日本が大陸進出をおこないにくい状態になることを意味します。

九カ国条約

⑦九カ国条約は、中国の領土に関する条約です。中国の領土と主権を尊重し、中国の侵略をこれ以上はおこなわないようにしようと決められました。

この結果、石井・ランシング協定は廃棄されます。中国における各国の門戸開放を定めた九カ国条約に反する協定になるからです。また、日本は山東省で手に入れた領土を中国に返すことになってしまいました。

ワシントン海軍軍備制限条約

最後は、**主力艦**の保有を制限した**ワシントン海軍軍備制限条約**です。主力艦の保有量を、アメリカ・イギリスに比べて日本はその**6割**に制限されます。これは、日本がアメリカ・イギリスに対抗できないようにすることが目的でした。また、主力艦を10年間建造してはいけないとも定めました。

このように世界平和の名のもとに軍縮をおし進めていく体制を、**ワシントン体制**といいます。一方、国内では軍部を中心に「ワシントン体制は、日本の国力を弱めようとするものだ」という反発もありました。

POINT

[ワシントン会議]（1921〜22年）

①四カ国条約：日英同盟の廃棄

②九カ国条約：石井・ランシング協定の廃棄

③ワシントン海軍軍備制限条約：主力艦の保有制限

011-C 第二次護憲運動

加藤友三郎内閣

　高橋内閣の後に登場するのが，**加藤友三郎**内閣です。加藤内閣では，**シベリア出兵から撤兵**（1922年）したことだけをおさえておけばよいでしょう。

山本権兵衛内閣と関東大震災

　次の内閣が，**山本権兵衛**内閣です。この山本内閣が成立する直前の1923年に，⑧**関東大震災**がおこります。**戦後恐慌**で弱っていた日本経済は，関東大震災で追い打ちをかけられる形になります。⑨**震災恐慌**の発生です。

　また，関東大震災で家や家族を失った人々は，社会不安に陥っていきます。そのような中で，朝鮮人や中国人・社会主義者が，この社会の混乱を利用して反乱をおこそうとしているというデマが流れます。このデマが人々の不安をよりあおっていき，多くの朝鮮人・中国人・社会主義者が殺されるというできごとがおこりました。

　このような社会不安の中，病弱だった大正天皇の代理で国会に向かおうとしていた摂政の裕仁親王（後の昭和天皇）の馬車が，東京の虎の門で社会主義者に狙撃される事件がおこりました。**虎の門事件**（1923年）です。裕仁親王にケガはありませんでしたが，この事件の責任をとる形で，山本内閣は総辞職します。

清浦奎吾内閣の超然主義政策

　その後，内閣を組織するのが**清浦奎吾**です。清浦は，貴族院勢力を背景に組閣しました。そして，この社会不安を乗り切るために，強い権力で政治をおこなおうとしました。政党を無視する⑩**超然主義**政策です。

第二次護憲運動

　清浦が超然主義の政策をとったため，政党からは当然のことながら大きな反発がおこってきます。これが**第二次護憲運動**です。第二次護憲運動は，**憲政会**の**加藤高明**，**立憲政友会**の**高橋是清**，そして立憲国民党が改称した**革新倶楽部**の**犬養毅**が，**護憲三派**として中心になっておこないました。

この後におこなわれた**総選挙で護憲三派が圧勝したため，清浦内閣は総辞職**を余儀_{よぎ}なくされてしまいます。

📋 共通テスト演習問題**11**

問題1

　1919年3月1日，京城(現在のソウル)のパゴダ公園で独立宣言が読み上げられると，前皇帝の葬儀に集まっていた民衆がこれに呼応し，たちまち「独立万歳」を叫ぶ大規模なデモ行進に発展した。同じ日，平壌などの都市でもデモ行進が行われ，ⓐこの運動は朝鮮全土に広がった。

　下線部ⓐに関連して，当時の国際情勢について説明した次の文Ⅰ～Ⅲについて，その正誤の組合せとして正しいものを，下の①～④のうちから一つ選べ。

　Ⅰ　中国でも，山東省の旧ドイツ権益の返還を求める民族運動がおこった。
　Ⅱ　第一次世界大戦後にはロシア革命の影響もあり，民族自決の国際世論が盛り上がった。
　Ⅲ　国際連盟が設立され，アメリカとソ連を中心に国際紛争が調停されるようになった。

① Ⅰ一正　Ⅱ一正　Ⅲ一誤　　② Ⅰ一正　Ⅱ一誤　Ⅲ一誤
③ Ⅰ一誤　Ⅱ一正　Ⅲ一正　　④ Ⅰ一誤　Ⅱ一誤　Ⅲ一正

解説

　問題文は朝鮮でおこった反日運動である三_{さん}・一_{いち}独立運動の内容。Ⅰは，この時期に中国でおこった反日国民運動(五・四運動)のことです。五・四運動は，「山東省のドイツ権益を返還すること」を含む二十一カ条の要求の廃棄を求めておこなわれた運動なので，Ⅰは〇。Ⅱの民族自決_{みんぞくじけつ}の世論は第一次世界大戦後に盛り上がっていったので，これも〇。Ⅲは，国際連盟にアメリカは参加しませんでした。また，ソ連も当初は参加していませんので✕。よって①が正解です。

Ⅲは講義では扱っていない内容ですが，Ⅰ・Ⅱがわかれば，正解は①に絞り込めますので，十分正解可能な問題ということになります。

解答　①

問題2

　日本がはじめてオリンピックに参加したのは1912年の第5回ストックホルム大会で，日本選手はわずか2名であった。ⓐ第一次世界大戦が終結し，1920年代になると，国際連盟や多国間の条約のもとで国際平和がめざされる中，オリンピックには参加国が増え，内容も充実していった。

　下線部ⓐに関して述べた文として正しいものを，次の①〜④のうちから一つ選べ。

① 第一次世界大戦で，日本はフランス領インドシナを占領した。
② アメリカは第一次世界大戦に参戦しなかった。
③ 第一次世界大戦がはじまると，日本は日英同盟を理由として参戦した。
④ 講和条約により，日本は南洋諸島の権益を放棄した。

解説

① 第一次世界大戦で日本が占領したのは，山東半島の青島と赤道以北のドイツ領南洋諸島です。フランス領インドシナを占領したのは太平洋戦争のことなので，誤りとなります。

② 第一次世界大戦にアメリカは参戦しました。ただ，このことをわかっていなくても，この問題を解くことは可能です。

③ 日本は日英同盟を理由に第一次世界大戦に参戦しました。よって，この選択肢は正しいです。

④ 第一次世界大戦の講和条約はヴェルサイユ条約です。この条約で，日本は赤道以北のドイツ領南洋諸島の委任統治をおこなうこととなりました。権益を放棄したというわけではないので，誤りとなります。

解答　③

117

歴史総合の窓

世界のできごとは，同時代の日本を意識しながら確認しましょう。

1 ドイツ・イギリス・ロシアの対立

日本▷ 007-A ～ 007-B
三国干渉～日露戦争のころ

　ドイツは，**オーストリア・イタリア**と手を組み，**三国同盟**（1882年）を成立させます。三国同盟にはオスマン帝国とブルガリアも加わります。この時期ドイツは，イギリス・ロシアと対立を深めていきます。イギリスの3C政策（▷p.80）に対抗してドイツは**3B政策**をとります。ベルリン（ドイツ）・ビザンティウム（現トルコ）・バグダード（現イラク）を鉄道で結ぶという政策です。

　三国同盟に入ったイタリアは，オーストリアの領土の一部を編入したいと考えていました。これに対してオーストリアは，領土を守るためドイツに頼るようになります。

　ロシアは，三国同盟に対抗するためフランスと手を組みます。露仏同盟です。

　イギリスは，19世紀の段階では「光栄ある孤立」という立場をとっていました。しかし，ドイツの台頭にともなって，20世紀になると「光栄ある孤立」からの脱却を図ります。イギリスは，1904年には**フランス**と，1907年にはロシアと協商を結ぶことで，**三国協商**が成立します。ちょうど三国同盟を，三国協商が挟み撃ちする形となるわけです。

2 第一次世界大戦

日本▷ 010-A ～ 010-B
第一次護憲運動～第一次世界大戦のころ

　ロシアは，日露戦争に敗れたことをきっかけに，再び**バルカン半島**をねらいます。バルカン半島は，もともと紛争の絶えない地域だったため，「ヨーロッパの火薬庫」とよばれていました。

　オーストリアが，ボスニア・ヘルツェゴヴィナを併合すると，**セルビア**が反発，オーストリア帝位継承者夫妻をセルビア人が暗殺する事件がおこります。この事件は，オーストリアとセルビアの戦争に発展。さらにこの戦争は，オーストリアと同盟を結んでいた**ドイツ**と，セルビアと親しい**ロシア**との戦争へと発展していき，**第一次世界大戦**に拡大していくのです。

　ドイツは，西（西部戦線）と東（東部戦線）に分かれて戦います。西部戦線は，中立国のベルギーに侵入し，フランスに進撃します。東部戦線は，ロシア軍を破ってポーランドに侵入します。しかし戦争は膠着状態になります。

　そのような中，三国同盟の一角である**イタリア**が連合国に加わります。周囲の国々がほぼ敵になってしまったドイツは，**無制限潜水艦作戦**をとります。中立国の船舶に対しても攻撃するのです。これに怒った**アメリカ**が連合国側で参戦。連合国側は一気に優勢となります。

　1918年，アメリカ大統領**ウィルソン**は「十四カ条」の平和原則を出し，**民族**

自決を唱えます。すべての民族は独立すべきであるという考えですが，ウィルソンの民族自決に，アジア・アフリカは含まれていませんでした。あくまでも，ヨーロッパとの戦争終結のために唱えられた民族自決であって，帝国主義を終わらせるという考えは，アメリカやヨーロッパにはありませんでした。

革命がおこった**ロシア**（▷**4**）は，ドイツと単独で講和条約を結びます。**ブレスト＝リトフスク条約**（1918年）です。これにより，東部戦線が終わります。

ドイツでも革命がおこります。イギリスの海上封鎖をきっかけに，ドイツが食糧難に陥ります。すると，キール軍港での兵士の蜂起がおこり，これをきっかけにヴィルヘルム2世が退位。ドイツは講和の道を歩むことになるわけです。

第一次世界大戦で一番発展したのは，アメリカと日本です。いずれも戦場にならなかったからです。**アメリカ**は，世界のリーダーとしての地位を確立し，国際的な発言力を持つようになります。また**日本**は，アジアや太平洋地域での地位を高めたため，世界の5大国へと発展していくのです。

3 第一次世界大戦での総力戦

日本▷ **010-B**
第一次世界大戦のころ

総力戦とは，「国民みんなに戦争に協力してもらう」という考え方です。国内の産業は戦争のために総動員され，食料や生活必需品は自由に買えなくなります。国内の男性は兵士として動員され，国内の女性は働き手となります。こうして，女性が社会進出することによって，**女性参政権**の獲得という流れにつながっていくのです。総力戦においては，労働者政党であっても政府に協力することになります。これにより，完全なる挙国一致体制が形成されるのです。

4 ロシア革命

日本▷ **010-B** ～ **011-B**
第一次世界大戦～九カ国条約のころ

ロシアで食料不足がおこると，1917年，労働者と兵士が反乱をおこしました。二月革命です。二月革命により皇帝ニコライ2世は退位に追い込まれ，自由主義者を中心とした臨時政府が成立します。自由主義者を中心とした政府なので，この段階では社会主義ではありません。ロシアが社会主義になるのは，同じ年におこった十月革命です。**レーニン**は，革命をおこして社会主義政権をつくろうと主張します。その結果，社会主義革命である十月革命がおこるのです。**ボリシェヴィキ**は武力で臨時政府をつぶし，史上初の社会主義政権である**ソヴィエト政権**を誕生させます。レーニンの野望は，ロシアだけにとどまりません。世界革命を目指すべく，共産党の世界組織である**コミンテルン**（第3インターナショナル）がモスクワに結成するのです。

1922年，ソヴィエト社会主義共和国連邦（ソ連邦，ソ連）が誕生します。ボリシェヴィキは共産党と改称され，共産党による一党独裁体制の国家として動き出します。

12 大正デモクラシーと文化

012-A 大正デモクラシー

労働運動

- ■1912年：① 友愛会
- ●鈴木文治が中心。労資協調
- ■1919年：大日本労働総同盟友愛会に改称
- ■1920年：第1回メーデー
- ■1921年：② 日本労働総同盟
- ●労働運動は階級闘争に転換

社会主義運動

- ■1920年：日本社会主義同盟
- ●社会主義者の大同団結
- ●無政府主義者：大杉栄
- ●共産主義者：山川均・堺利彦
- ■1922年：③ 日本共産党
- ●コミンテルンの支部で非合法
- ●山川均・堺利彦が中心

農民運動

- ■小作争議
- ●小作料減免などを訴えた
- ■1922年：日本農民組合
- ●小作人のための組合
- ●杉山元治郎・賀川豊彦

女性運動

- ■1911年：④ 青鞜社
- ●平塚らいてう(明)が中心
- ●雑誌『青鞜』
- ■友愛会に婦人部がつくられた
- ■1920年：⑤ 新婦人協会
- ●平塚らいてう・⑥ 市川房枝が中心
- ●治安警察法改正に成功
  →女性の政治集会参加許可
- ■婦人参政権獲得期成同盟会

その他

- ■1916年：⑦ 民本主義
- ●⑧ 吉野作造が発表した
- ●天皇主権を前提としたデモクラシー思想
- ●吉野作造は黎明会を組織した
- ●⑨ 東大新人会
  吉野作造の影響を受けた組織
- ■美濃部達吉は天皇機関説・政党内閣論を唱えた
- ■1922年：全国水平社
- ●部落解放運動
- ●西光万吉が中心

012-B 大正時代の文化

自然科学	●**野口英世**（ひでよ）：黄熱病（おうねつびょう）の研究 ●**本多光太郎**（ほんだこうたろう）：KS磁石鋼 ●八木秀次（やぎひでつぐ）：八木アンテナ ●理化学研究所・航空研究所・地震研究所の設立
学問	●**西田幾多郎**（にしだきたろうぜん）『善の研究』 ●**和辻哲郎**（わつじてつろう）『古寺巡礼』（こじじゅんれい） ●**津田左右吉**（つだそうきち）『神代史の研究』（じんだいし） ●**柳田国男**（やなぎたくにお）：民俗学（みんぞくがく）の確立 ●**河上肇**（かわかみはじめ）『貧乏物語』（びんぼうものがたり） ●**野呂栄太郎**（のろえいたろう）：『日本資本主義 　発達史講座』の編集
演劇	●**芸術座** 　島村抱月（しまむらほうげつ）・松井須磨子（まついすまこ）が中心 ●**築地小劇場**（つきじしょうげきじょう） 　小山内薫（おさないかおる）・土方与志（ひじかたよし）が中心
美術	●**日本美術院**再興 　横山大観（よこやまたいかん）・下村観山（しもむらかんざん）が中心 ●**春陽会**（しゅんようかい）（岸田劉生（きしだりゅうせい）） ●**フューザン会**（岸田劉生） ●**二科会**（にかかい） 　梅原龍三郎（うめはらりゅうざぶろう）・安井曽太郎（やすいそうたろう） ●その他 　竹久夢二（たけひさゆめじ）：雑誌の挿絵（さしえ）

文学	■**耽美派**（たんびは）（芸術至上主義） ●雑誌：『スバル』 ●**永井荷風**（ながいかふう）『腕くらべ』（うで） ●**谷崎潤一郎**（たにざきじゅんいちろう）『痴人の愛』（ちじん） ■**新思潮派**（しんしちょうは）（現実の矛盾（むじゅん）に焦点） ●**芥川龍之介**（あくたがわりゅうのすけ）『羅生門』（らしょうもん） ●**菊池寛**（きくちかん）『恩讐の彼方に』（おんしゅうのかなたに） ■⑩**白樺派**（しらかばは）（人道主義・理想主義） ●**武者小路実篤**（むしゃのこうじさねあつ）『お目出たき人』（めで） ●**志賀直哉**（しがなおや）・**有島武郎**（ありしまたけお） ■**新感覚派**（しんかんかくは）（技法上の革新）＊ ●**横光利一**（よこみつりいち）『日輪』（にちりん） ●**川端康成**（かわばたやすなり）『伊豆の踊子』（いずおどりこ） ■**プロレタリア文学** ●機関誌：『種蒔く人』（たねまく）『文芸戦線』 ●**葉山嘉樹**（はやまよしき）『海に生くる人々』 ●**小林多喜二**（こばやしたきじ）『蟹工船』（かにこうせん） ●**徳永直**（とくながすなお）『太陽のない街』
大衆文化	■**大衆小説** ●**中里介山**（なかざとかいざん）『大菩薩峠』（だいぼさつとうげ） ●吉川英治（よしかわえいじ）『宮本武蔵』（むさし） ■日本交響楽協会（こうきょうがく）（山田耕筰（こうさく）） ■**円本**（えんぽん）（『現代日本文学全集』など） ■**岩波文庫**（いわなみぶんこ）が創刊した ■『**キング**』が創刊した

＊新感覚派は昭和初期まで展開した

これだけ！ワード（共通テストの用語選択で出る語句）───→ ①小田原 【例】

これだけ！プチ（共通テスト重要語句）───────→ 塵芥集

これだけ！フレーズ（共通テスト正誤判断のカギとなるフレーズ）─→ 北条氏

☞**ひとこと！アドバイス**（得点アップのワンポイント）───→ ☞分国法

これだけ！ボイス

2112

大正デモクラシー

📣 **大正時代は大衆の時代！**

　今回は大正時代の最後となります。大正時代は，都市の労働者が生活水準の上昇を求めて声を上げる時代です。そのため，労働運動や社会主義運動など，さまざまな運動が盛り上がるので，整理が必要です。また，大衆文化が花開く時代でもあります。

▶ 労働運動

　まずは，労働運動からです。大正時代がはじまった**1912年**，鈴木文治によって①**友愛会**が結成されます。友愛会が結成されたのは，**大逆事件**（▷p.75）の2年後のことです。大逆事件以降，社会主義運動は「冬の時代」を迎えていました。ですから，友愛会は過激な労働運動をする団体ではなく，**労働者と資本家が協調していく労資協調の労働団体**でした。

　しかし，友愛会は，**ロシア革命**をきっかけにだんだん過激なものとなっていきます。ロシア革命の2年後の1919年には，**大日本労働総同盟友愛会**と改称されます。翌1920年には，労働者の祭典である**メーデー**が，日本ではじめておこなわれます。さらに，1921年には②**日本労働総同盟**が結成され，**労働運動は労資協調から階級闘争へ**と変わっていきました。

▶ 社会主義運動

　次は，社会主義運動です。**大逆事件をきっかけに，社会主義運動は影を潜め**ていきます。そのため，大正時代前半には，目立った社会主義運動がありませんでした。社会主義運動がおこってくるのは，やはりこれも**ロシア革命**がきっかけです。1920年に，**さまざまな社会主義者が大同団結した日本社会主義同盟**が結成されます。社会主義者といってもさまざまな考え方があるわけですが，そういった考え方のちがいを超えて，社会主義者が団結するわけです。

　しかし，考え方がちがうと，やはりうまくいかないもので，日本社会主義同盟はまもなく内部分裂をはじめます。社会主義を実現するためには**政府組織な**

んてものはいらないという**無政府主義者**(**大杉栄**が中心)と，社会主義を実現するためには**強力な指導組織が必要である**という**共産主義者**(**山川均・堺利彦**)が対立するのです。

ロシア革命を成功させたソ連は，強力な指導体制をバックに成立しました。そのため，日本の社会主義運動も共産主義者が優勢となっていき，1922年には共産主義者を中心にした**非合法政党**である③**日本共産党**が結成されます。日本共産党は，**国際的な共産主義組織であるコミンテルンの日本支部**という形で成立しました。

一方，無政府主義の中心人物である**大杉栄**は，1923年の関東大震災の際におこった**甘粕事件**で，憲兵隊の甘粕正彦大尉に惨殺されました。それをきっかけに，無政府主義は弱体化していきます。

POINT

［労働運動・社会主義運動］
① 労働運動：友愛会（鈴木文治・労資協調）
　　　　　→日本労働総同盟（1921年・労資対決）
　　　　　日本最初のメーデー（1920年）
② 社会主義運動：日本社会主義同盟（1920年）
　　　　　→内部分裂
　　　　　→日本共産党（1922年・非合法組織）

❯ 農民運動

続いては，農民運動です。「農民」といっても，農民運動の担い手は**小作人**です。当時，**小作人が小作料の減免などを求めた小作争議**が頻繁におこっていました。小作人の立場が弱かったために，このような運動がおこったわけです。そのような中で，**小作人の立場を向上させる目的で，杉山元治郎**や**賀川豊彦**らによって**日本農民組合**（1922年）が結成されました。

❯ 女性運動

女性運動では，**平塚らいてう**(**明**)が中心となって，④**青鞜社**（1911年）が結成されました。雑誌『**青鞜**』を創刊し，その巻頭には「元始，女性は実に太陽で

あった」という有名な言葉ではじまる文章が掲載されました。また，労働団体である**友愛会**に婦人部がつくられたのも，このころです。

　第一次世界大戦後の1920年には，⑤**新婦人協会**が**平塚らいてう**（ちょう）・⑥**市川房枝**（ふさえ）を中心に結成されました。新婦人協会の活動の結果，**治安警察法**（ち あんけいさつほう）が改正され，**女性の政治集会参加が許可**されました。

　また，この間に**山川菊栄**（きくえ）や**伊藤野枝**（のえ）（大杉栄の内縁の妻で，甘粕事件で惨殺）によって，社会主義の**赤瀾会**（せきらんかい）も結成されました。

❯ デモクラシー思想

　最後は，**デモクラシー思想**についてです。1916年，⑧**吉野作造**（さくぞう）が⑦**民本主義**（みんぽんしゅぎ）を提唱しました。民本主義は民主主義とは異なり，**主権を天皇におきながらデモクラシーをおこなっていく**という思想です。この思想は，当時の政治体制を否定したり非難したりするものではなかったため，多くの人に受け入れられました。そして，吉野作造を中心として1918年には**黎明会**（れいめいかい）がつくられ，吉野の思想に影響を受けた若手の学者を中心に⑨**東大新人会**が組織されます。

　また，**美濃部達吉**（みのべたつきち）が**天皇機関説**・政党内閣論を展開したのもこのころです。天皇機関説は昭和初期に国会の中で大きな問題に発展していきますが，それについては第14講(▷p.143)で扱っていきます。

　また，1922年には，部落差別撤廃を求めた**西光万吉**（さいこうまんきち）らによって，**全国水平社**（すいへいしゃ）が結成されました。

POINT

[大正デモクラシーと社会運動]

① 思想的背景：美濃部達吉（天皇機関説）

　　　　　　　　吉野作造（民本主義）

② 農民運動：日本農民組合

③ 女性運動：青鞜社（1911年結成・平塚らいてう）

　　　　　　解体後→新婦人協会（1920年）：

　　　　　　平塚らいてう・市川房枝

④ その他の運動 ｛ 全国水平社（1922年・部落解放）

　　　　　　　　 東大新人会（学生運動）

012-B 大正時代の文化

自然科学

　明治時代とは異なり，🖐大正時代は，自然科学の分野でおさえなければならないことはそんなに多くはありません。野口英世の黄熱病の研究と，本多光太郎のKS磁石鋼あたりをおさえておけばよいでしょう。🖐明治時代のできごとか，大正時代のできごとかの識別も重要です。

学問

　学問では，哲学と経済学を中心とした研究が大きな成果を上げました。哲学では西田幾多郎の『善の研究』，倫理学では和辻哲郎の『古寺巡礼』，歴史学では津田左右吉の『神代史の研究』が有名です。さらに，柳田国男は民俗学を確立しました。
　経済学では，ロシア革命の影響を受けてマルクス主義経済学が流行し，河上肇の『貧乏物語』や，野呂栄太郎らが編集した『日本資本主義発達史講座』などが発表されました。

演劇

　演劇では，新劇が盛んになります。明治時代の文芸協会の流れを受け継いだ芸術座（島村抱月・松井須磨子が中心）や，自由劇場の流れを受け継いだ築地小劇場（小山内薫・土方与志が中心）が結成されました。

美術

　日本画では，岡倉天心の死後，活動を停止していた日本美術院が再興しました。西洋画では，春陽会やフューザン会（岸田劉生の「麗子微笑」）・二科会（梅原龍三郎の「紫禁城」・安井曽太郎の「金蓉」）などが結成されました。また，竹久夢二は雑誌の挿絵に美人画を描きました。それぞれ127ページで作品を確認しておきましょう。

文学

　文学では，芸術至上主義の**耽美派**（**永井荷風**・**谷崎潤一郎**が中心），現実の矛盾に焦点をあてた**新思潮派**（**芥川龍之介**・**菊池寛**が中心），人道主義・理想主義に基づいた⑩**白樺派**（**武者小路実篤**・**志賀直哉**が中心）があります。

　また，技法上の革新を追求した**新感覚派**には，日本初のノーベル文学賞を受賞した**川端康成**などがいます。☞121ページの表解板書で，作品名もおさえておきましょう。

　また，社会主義運動が高まっていったのを契機に，社会主義を題材とした小説も書かれました。**プロレタリア文学**です。**葉山嘉樹**の『**海に生くる人々**』や**小林多喜二**の『**蟹工船**』，**徳永直**の『**太陽のない街**』などが有名です。

> **POINT**
>
> [大正時代の文学]
> ① 耽美派：永井荷風・谷崎潤一郎
> ② 新思潮派：芥川龍之介・菊池寛
> ③ 白樺派：武者小路実篤・志賀直哉
> ④ 新感覚派：川端康成・横光利一
> ⑤ プロレタリア文学：葉山嘉樹・小林多喜二・徳永直

大衆文化

　さて，大正時代の文化の特徴として，**大衆文化**をあげることができます。大衆小説では，**中里介山**の『**大菩薩峠**』や，**吉川英治**の『**宮本武蔵**』などが残されました。また，1冊1円で日本の代表的な文学作品を読むことができる**円本**や，安価で世界の名作を読むことができる**岩波文庫**などが登場しました。

　大衆雑誌として『**キング**』が創刊されたり，**ラジオ放送**が開始されたのも，このころです。

> **POINT**
>
> [大衆文化]
> ① 大衆小説：中里介山・吉川英治
> ② 円本
> ③ 岩波文庫

🔍 大正時代の文化の図や絵はこれだけ！

⬆「麗子微笑」（岸田劉生）

⬆「金蓉」（安井曽太郎）

⬆「黒船屋」（竹久夢二）

原始 ― 古墳 ― 飛鳥 ― 奈良 ― 平安 ― 鎌倉 ― 室町 ― 安土桃山 ― 江戸 ― 明治 ― 大正 ― 昭和 ― 平成

問題

　長らく低迷していた日本経済は，第一次世界大戦を機に一転して好景気となり，アメリカ向けの生糸輸出はさらに活発化し，国内向けの重工業生産も急成長を遂げた。この結果，都市に住む工業労働者だけでなく，商業や飲食業などサービス産業に従事する人も増加して，都市人口は急速にふくれあがった。

　この急激な都市化は，洋服の普及をもたらし，映画・演劇の鑑賞などの ⓐ大衆文化を発展させたが，その一方で住宅不足や物価騰貴などの社会問題も発生させた。その結果，大都市は，ⓑ第一次世界大戦後に活発となるさまざまな社会運動の中心ともなった。こうした都市の社会運動は農村にも影響を与えて，小作争議が急速に増加した。

問1　下線部ⓐに関して，大正・昭和初期の文化について述べた文として正しいものを，次の①～④のうちから一つ選べ。
① 庶民生活を描いた漫画『サザエさん』の新聞連載がはじまった。
② 黒澤明が監督した映画『羅生門』が好評を博した。
③ 雑誌の挿絵などを通じて，竹久夢二の美人画が一世を風靡した。
④ 大衆の音楽教育熱を背景に，東京音楽学校が設立された。

問2　下線部ⓑについて述べた文として**誤っているもの**を，次の①～④のうちから一つ選べ。
① 労働運動の発展を背景に，日本初のメーデーが開催された。
② 女性の参政権を求めて，婦人参政権獲得期成同盟会が設立された。
③ 日本最初の社会主義政党として，日本社会党が結成された。
④ 黎明会による思想啓発運動が知識人に影響を与えた。

解説

問1　①の『サザエさん』は太平洋戦争後のものです。今でもアニメ番組が放映されていることからも、そんなに昔の話ではないと連想できます。②の黒澤明監督の作品『羅生門』も、太平洋戦争後の作品です。また、④の東京音楽学校は明治時代のところで学びましたね（▷p.97）。ですから、正解は③です。竹久夢二は、大正時代に大衆向けの美人画の挿絵を描いた人物です。作品は、127ページの「大正時代の文化の図や絵はこれだけ！」であげてあります。余力のある人はおさえておきましょう。

解答　③

問2　①の日本初のメーデーは大正時代です。④の黎明会も、大正時代に吉野作造が組織した団体です。誤りは②か③になるわけですが、③の日本社会党は明治時代のところで学びましたね（▷p.75）。ですから、解答は③となります。②の婦人参政権獲得期成同盟会は、講義では扱いませんでしたが、女性運動がはじまっていくのが大正時代になってからということから、第一次世界大戦後に結成された団体ではないかと想像できます。参政権については、男性の普通選挙権獲得運動が、大正時代になって活発となり、女性の選挙権を求める動きはそれよりも後です。

解答　③

13 憲政の常道と満洲事変

013-A 金融恐慌と山東出兵

内閣	政治・戦争	経済・外交
第1次 ①加藤 高明（たかあき）	■護憲三派内閣（ごけんさんぱ） ■1925年：**普通選挙法** ●満**25歳**以上の男子に選挙権 ■1925年：②**治安維持法**（ちあんいじほう） ●「**国体**」（こくたい）の変革・**私有財産** 　制度の否認を目的とする結 　社の禁止	■1925年：**五・三〇事件**（ご・さんじゅう） ●上海（シャンハイ）の在華紡労働者（ざいかぼう）の 　ストライキ ■1925年：**日ソ基本条約** ●ソ連との国交を樹立した
第2次 加藤高明	●**憲政会**の単独内閣…護憲三（けんせいかい） 　派が分裂したため結成	**震災手形**（しんさいてがた）の増大により，銀行の 経営状態は悪化した
第1次 ③若槻（わかつき） 礼次郎（れいじろう）	■**憲政会**内閣 ■**台湾銀行救済緊急勅令**（たいわん）（きんきゅうちょくれい）案 　を**枢密院**（すうみついん）が拒否 ●外相は**幣原喜重郎**（しではらきじゅうろう）	■1927年：④**金融恐慌**（きんゆうきょうこう） ●⑤**取付け騒ぎ**（とりつけさわぎ）で銀行が休業 ●鈴木商店の倒産により，**台湾**（たいわん） 　**銀行**が休業に追い込まれた
⑥田中 義一（ぎいち） （蔵相 **高橋是清**（これきよ））	■**立憲政友会**（りっけんせいゆうかい）内閣 ■積極外交をおこなった ■1927年：**山東出兵**（さんとうしゅっぺい） ●国民革命軍による**北伐**（ほくばつ）から 　**張作霖**（ちょうさくりん）を救援する目的 ●1928年の済南事件（さいなん）で軍事 　衝突 ■1927年：**東方会議**（とうほう） ●中国での権益支援が目的 ■1928年：**張作霖爆殺事件** ●⑦**張作霖**を奉天（ほうてん）で爆殺 ●田中内閣が退陣した	■⑧**モラトリアム**を出した ■日本銀行の巨額融資 --- ■社会運動への弾圧 ●**1928年**：初の普通選挙の結果， 　**無産政党**（むさんせいとう）から8名が当選 ●**1928年**：治安維持法の改正 　最高刑を**死刑**とした ●**特別高等課**を各道府県に ●共産党員の弾圧 　**三・一五事件**（さん・いちご），**四・一六事件**（よん・いちろく） --- ■1928年：不戦条約（パリ）

013-B　金解禁と満洲事変

内閣	政治・戦争	経済・外交
⑨浜口雄幸（おさち）	■**立憲民政党**内閣（りっけんみんせいとう） ●憲政会（けんせいかい）と**政友本党**（せいゆうほんとう）が合同 ■1930年：ロンドン海軍軍備 →制限条約…**補助艦**（ほじょかん）の保有制限 ■1930年：⑩**統帥権の干犯**（とうすいけん　かんぱん）問題 →軍備制限条約に海軍軍令部・右翼（うよく）が抗議した ■浜口雄幸が右翼の青年に狙撃（そげき）される→浜口内閣が退陣 ■1931年：三月事件 ●軍部政権の樹立を計画	■蔵相は**井上準之助**（じゅんのすけ） ■⑪**緊縮財政**（きんしゅく）・産業合理化 ■1930年：⑫**金輸出解禁**（かいきん） ●旧平価（きゅうへいか）で解禁 ●外国為替相場（かわせそうば）の安定が目的 ■1930年：**昭和恐慌**（しょうわきょうこう） ●**世界恐慌**（せかいきょうこう）と金解禁が原因 ●農産物価格が下落した ●欠食児童（けっしょくじどう）・女子の身売りが発生
第2次若槻礼次郎	■**立憲民政党**内閣 ■内閣は不拡大方針を発表 ■1931年：十月事件 ●軍部政権の樹立を計画 ●大川周明（しゅうめい）・橋本欣五郎（きんごろう）(桜会) ■閣内不統一で総辞職	■1931年：⑬**柳条湖事件**（りゅうじょうこ） ●奉天郊外で南満洲鉄道（まんしゅう）の線路が爆破された ■1931年：**満洲事変**（まんしゅうじへん） ●関東軍は内閣を無視し戦線を拡大した
⑭犬養毅（いぬかい　つよし）	■**立憲政友会**内閣 ■1932年：**血盟団事件**（けつめいだん） ●前蔵相**井上準之助**・三井財閥幹部（だんたくま）団琢磨が暗殺された ●血盟団の中心は**井上日召**（にっしょう） ■1932年：**五・一五事件**（ご　いちご） ●**犬養毅**が暗殺された	■1931年：⑮**金輸出再禁止** ●管理通貨制度となった ■1932年：**上海事変**（シャンハイじへん）…満洲事変の批判をかわすため ■1932年：**満洲国**（まんしゅうこく）が建国された ●執政（しっせい）は**溥儀**（ふぎ） ●内閣は満洲国の承認をしぶる

これだけ！ワード（共通テストの用語選択で出る語句）━━━━━━ ①小田原

これだけ！プチ（共通テスト重要語句）━━━━━━━━━━ 塵芥集

これだけ！フレーズ（共通テスト正誤判断のカギとなるフレーズ）━ 北条氏

🖐ひとこと！アドバイス（得点アップのワンポイント）━━━━ 🖐分国法

これだけ！ボイス

2113

> 📣 **憲政会と立憲政友会が交互に並び立つ時代**
> 憲政の常道は，衆議院の多数政党が内閣を組織する時代です。
> この時期は，憲政会(のちの立憲民政党)と立憲政友会の間で交
> 互に政権交代がおこなわれた時代でもあります。

❯ 加藤高明内閣① ── 護憲三派内閣

　今回からいよいよ昭和時代に入っていきます。まずは，大正時代最後の内閣
である加藤高明内閣からはじめましょう。

　①**加藤高明**内閣は，第11講で扱った**第二次護憲運動**の結果，できた内閣で
す。つまり，**護憲三派**が中心となった内閣(▷p.116)というわけです。護憲三
派について復習しておきましょう。護憲三派の政党は，**憲政会**と**立憲政友会**と
革新倶楽部ですね。

❯ 加藤高明内閣② ── 普通選挙法とソ連との国交

　さて，加藤内閣は護憲運動によって誕生した内閣ですから，護憲運動で主張
していた**普通選挙法(1925年)**を制定します。この普通選挙法で，満**25歳以
上の男子に選挙権が与えられる**ことになります。

　また，同年には，ソ連との国交が結ばれます。**日ソ基本条約**です。加藤内
閣は，**幣原喜重郎**外相のもとに，**幣原外交**とよばれる**協調外交**を進めていま
した。

❯ 加藤高明内閣③ ── 治安維持法と護憲三派の分裂

　普通選挙法の制定にともなって，社会主義を支持する人たちにも選挙権が与
えられることになりました。また，ソ連との国交樹立により，社会主義運動が
盛り上がる可能性も出てきました。そこで，②**治安維持法**を制定して，「国
体」(国家の体制)を変えようとしたり，**私有財産制度を否定したりすることを
目的とした結社を禁止**し，社会主義運動や労働運動を抑制していきます。

しかし，護憲三派内閣は，もともと考え方のちがった3つの政党による内閣です。そのため，成立当初から意見の対立がおこり，護憲三派は分裂し，護憲三派のうちの**憲政会**だけで結成された第2次**加藤高明**内閣が成立します。しかし，この内閣は加藤高明の病死によってまもなくつぶれました。

❷ 第1次若槻礼次郎内閣① ── 震災手形

加藤内閣の次に成立するのが，同じ**憲政会**の③**若槻礼次郎**内閣です。この若槻内閣のときに，大正天皇が亡くなって昭和天皇に代わります。実はこのころ，深刻な経済問題がおきていました。

第11講で扱った**関東大震災の結果，決済不能**になった**手形**が多く出てしまいました。相手の会社が倒産するなどして，本来支払われるべきお金が支払われなくなってしまった手形がいっぱい出てくるわけです。このような手形を**震災手形**といいます。実はこの震災手形が，関東大震災から4年たった昭和時代になっても，まだ処理できていない状況でした。この未処理の震災手形が当時の経済，とくに銀行の経営状態に深刻な打撃を与えていました。

❷ 第1次若槻礼次郎内閣② ── 金融恐慌

震災手形の処理について話し合っていた国会で，**片岡直温**蔵相が「もうすぐつぶれる銀行が出る」という失言をしてしまいました。当時は，銀行が倒産してしまうと，預けている預金は戻ってきませんでした。そのため，**人々が自分の預金を引き出すため銀行に殺到する**⑤**取付け騒ぎ**がおこります。銀行の経営状態が悪いところに，人々が預金を下ろしに殺到したことで，銀行が次々に倒産してしまうという事態がおこりました。これを④**金融恐慌**といいます。

この金融恐慌のさなか，**台湾銀行**が休業します。台湾銀行が取引していた**鈴木商店**が倒産したためです。鈴木商店は，第一次世界大戦をきっかけに成長した，台湾を代表する大企業でした。台湾銀行は鈴木商店に多額のお金を貸していました。鈴木商店が倒産することにより，その貸したお金が戻ってこないということになってしまい，台湾銀行は危機に陥って休業したのです。台湾銀行は，台湾を代表する銀行で，特殊銀行でした。そのため，台湾銀行が倒産ということになれば，日本経済に深刻な打撃を与えることになります。

❱ 第1次若槻礼次郎内閣③ ── 内閣総辞職

　そこで若槻内閣は，台湾銀行救済のための緊急勅令を出そうとします。し
かし，緊急勅令を出すことに枢密院が反対したため，結局，若槻内閣は緊急勅
令を出すことができず，総辞職してしまいます。

　枢密院は，なぜ台湾銀行救済に反対したのでしょうか。実は，枢密院は若槻
内閣の外交方針（幣原外交）などに不満を持っていたからなのです。ここで誤解
してはいけないのは，枢密院は台湾銀行をつぶそうとしたのではないというこ
とです。枢密院の意向に反する外交をやっていた若槻礼次郎内閣をつぶしたく
て，台湾銀行を救済するための緊急勅令を出すことに反対したのです。

❱ 田中義一内閣① ── モラトリアム

　次の内閣は，立憲政友会の⑥田中義一内閣です。田中内閣は，蔵相の高橋
是清を中心に，金融恐慌をなんとかして終わらせようとしました。そこでと
られた方法が⑧モラトリアムです。モラトリアムとは，銀行から一時的に預
金を引き出すことができない状態にすることです。このモラトリアムを3週間
おこなうことで，銀行の倒産を一時的にくいとめます。その間に日本銀行が巨
額の融資をおこない，経営状態が悪化した銀行を立て直そうとしたわけです。
この結果，銀行の倒産はくいとめられ，金融恐慌は終わりを告げました。

❱ 田中義一内閣② ── 山東出兵

　田中内閣は，前の若槻内閣とは対照的に，積極外交をおこないました。1927
年，ワシントン会議で中国に返還した山東省に出兵をおこないます。出兵の目
的は，張作霖を救援することです。

　張作霖は，満洲で力を持っていた親日的な人物でした。しかし，当時，中国
の国民政府のトップになった蔣介石は，張作霖の親日的な態度を改めさせよ
うとして，満洲へ出兵をおこないます。これを北伐といいます。山東出兵は，
この北伐をくいとめるために，おこなわれたのです。

　山東出兵では，1928年の済南事件のような小規模の軍事衝突はたびたびお
こっていましたが，大規模な軍事衝突はおきませんでした。

❯ 田中義一内閣③ —— 張作霖爆殺事件

しかし、ここで⑦張作霖が爆殺されてしまうという重大な事件がおこります（**張作霖爆殺事件**・1928年）。しかも、張作霖を殺したのは日本の**関東軍**でした。関東軍は、満洲の占領をもくろんで、満洲の軍閥であった張作霖を殺してしまうのです。

ところが、関東軍は満洲の占領には失敗してしまいます。張作霖は死んでしまったし、満洲の占領は失敗してしまった。関東軍の大失態です。しかし、この大失態を関東軍はひた隠しにしようとして、この事件を**満洲某重大事件**として天皇に報告します。天皇は、このような関東軍の態度に怒り、**田中内閣は張作霖爆殺事件の責任をとるという形で、内閣を総辞職**してしまいます。

❯ 田中義一内閣④ —— 普通選挙の実施

この田中内閣のときに、第1回の**普通選挙**が実施されます。普通選挙法は加藤内閣のときに出されましたが、実際に選挙がおこなわれたのは田中内閣のときです。**1928年**におこなわれた最初の普通選挙では、**無産政党**の議員が8名も当選します。無産政党とは、労働者や農民などの利益を代表する政党で、社会主義の影響を強く受けていました。

この選挙の結果に危機感を抱いた田中内閣は、**治安維持法**を改正し、最高刑を**死刑**にしました。また、東京にあった**特別高等課**を各道府県におくことにします。そして、**三・一五事件**、**四・一六事件**などで共産党員の弾圧をおこなったのです。

金解禁と満洲事変

▶ 浜口雄幸内閣① —— 緊縮財政

　田中内閣の後は，**立憲民政党**の⑨**浜口雄幸**内閣です。立憲民政党とは，**憲政会**と**政友本党**が合併して結成されたものです。浜口内閣は，金融恐慌によって悪化した経済状況を立て直そうとして，さまざまな政策をおこないます。つまり，🖐浜口内閣は経済政策が中心の内閣ということになります。このときの蔵相は**井上準之助**です。

　浜口内閣は，財政を立て直すため，⑪**緊縮財政**をおこないます。財政の無駄遣いを徹底してなくしていこうということです。また，**産業合理化**をおし進め，悪化した日本経済を立て直していきます。

▶ 浜口雄幸内閣② —— 金解禁と昭和恐慌

　そして，最後におこなうのが⑫**金輸出解禁**（金解禁・**1930年**）です。**外国為替相場を安定させるために，日本の通貨と金の交換ができるようにする**のです。この金解禁ですが，日本は金と日本の通貨との交換比率を**旧平価**，つまり恐慌前の為替レートでおこなったのです。

　当時，日本の通貨の価値は，あいつぐ不況により下がっていました。そこで，旧平価で金解禁をおこなうことにより，日本の通貨の価値を引き上げようとしたのです。

　しかし，当時は**世界恐慌**のまっただ中でした。世界は深刻な不況に見舞われており，ただでさえ物が売れない状況でした。そのような中で日本の通貨の価値を上げる，つまり，**外国にとって日本の商品の値段をおし上げるような政策**をとったため，日本の輸出は激減してしまいました。そのためにおこったのが，**昭和恐慌**です。

　昭和恐慌の年には，農産物の大豊作も重なったため，農産物価格も下落してしまいました。農産物の価格も安い，しかも外国に物が売れないということで，とくに農村では，**深刻な経済状況に陥ります**。その結果，**欠食児童**の出現や**女子の身売り**といった現象がおこりました。

➤ 浜口雄幸内閣③ —— 外交政策

次に外交ですが，浜口内閣は**協調外交**を復活させ，再び**幣原喜重郎**を外相にしました。1930年，ロンドンで海軍の軍縮会議が開かれ，**ロンドン海軍軍備制限条約**が締結されました。

この条約では，**補助艦の保有制限**が定められたのですが，この条約を海軍軍令部の許可を取らずに結んだということで，海軍軍令部や右翼からの反発がおこります。これが⑩**統帥権の干犯**問題です。海軍軍令部や右翼が浜口内閣のやり方に抗議し，とうとう右翼の一青年が浜口首相を狙撃するという事態に発展していきます。この結果，浜口内閣は総辞職します（1931年）。

➤ 第2次若槻礼次郎内閣

次に登場するのが，同じく**立憲民政党**の**若槻礼次郎**内閣です。この若槻内閣のとき，**1931年**に**満洲事変**がおこります。奉天郊外での南満洲鉄道の線路爆破事件（⑬**柳条湖事件**）を中国がおこしたものだとして，関東軍が軍事行動をはじめるのです。若槻内閣は，国際社会に配慮して，不拡大方針を発表しました。

しかし，軍や右翼は幣原喜重郎の協調外交を**軟弱外交**と非難します。このままでは満洲やモンゴルにある日本の権益が中国に奪われてしまうと主張するのです（これを「**満蒙の危機**」といいます）。こうして，軍部は世論の支持を得るのです。

世論の支持を背景に，関東軍は内閣を無視して戦域を拡大していきます。若槻内閣の内部でも戦争に対する意見の対立は深まっていき，若槻内閣は閣内の不統一のため退陣してしまいます。これにより，協調外交は完全に挫折してしまいました。

➤ 犬養毅内閣① —— 金輸出再禁止

続いて登場するのが，**立憲政友会**の⑭**犬養毅**内閣です。犬養内閣は1931年，当時深刻な経済不況を引きおこしている元凶であった**金解禁**をやめます。これを⑮**金輸出再禁止**といいます。この金輸出再禁止によって，日本は金を基準としない通貨制度に移行します。政府が通貨価値を管理する**管理通貨制度**の時代を迎えるのです。

❯ 犬養毅内閣② —— 軍部の暴走

　外交については，満洲事変がますます拡大していきます。満洲事変の拡大に
ともなって，国際社会の日本に対する批判は日増しに強くなっていきます。そ
こで，**満洲事変に対する批判をそらすために，軍部は上海事変**（1932年）をお
こします。しかし軍部が期待しているような効果はありませんでした。

　軍部の暴走はますます激しくなり，ついに**満洲国**を満洲に建国します。満
洲国の執政は**溥儀**です。満洲国は一応，形式的には独立国家という体裁をとっ
ていますが，実際は日本によってつくられた国家です。国際社会からの批判を
かわすために，独立国家の体裁を整えたにすぎないわけです。これに対し，<u>犬
養首相は満洲国を承認しない</u>という方針を明らかにしました。

❯ 犬養毅内閣③ —— 五・一五事件

　このころはあいつぐ恐慌に見舞われた不況の時代でした。日本にこれらの深
刻な不況をもたらした原因は，政党政治と財閥の経営のまずさにあるという批
判がおこってくるのです。そのため，前の内閣の蔵相である**井上準之助**や，
三井合名会社の理事長である**団琢磨**が暗殺される**血盟団事件**（1932年）がおこ
りました。血盟団の中心は**井上日召**という人物でした。

　そして，1932年5月15日，**犬養毅**首相が暗殺されるという事件がおこりま
す。**五・一五事件**です。この事件の結果，**憲政の常道**とよばれる衆議院の多
数政党が内閣を組織する時代は，わずか8年間で終わりを告げてしまいます。

POINT

［憲政の常道］

① 加藤高明内閣（第1次）：護憲三派

② 加藤高明内閣（第2次）：憲政会

③ 若槻礼次郎内閣（第1次）：憲政会

　　加藤高明が病死したので，引き続き憲政会内閣

④ 田中義一内閣：立憲政友会

⑤ 浜口雄幸内閣：立憲民政党

⑥ 若槻礼次郎内閣（第2次）：立憲民政党

　　浜口雄幸が狙撃されたので，引き続き立憲民政党内閣

⑦ 犬養毅内閣：立憲政友会

共通テスト演習問題 13

問題

　第一次世界大戦後，世界各国は次々に金本位制に復帰したが，日本では
ⓐたびたび発生した恐慌により金本位制復帰（金解禁）が困難となり，歴代
内閣の課題として持ち越されていた。この課題に中心的に取り組んだのが
井上準之助蔵相である。

　彼は緊縮財政と産業合理化をおこない，その上で金解禁を断行し，為替
相場を安定させ，貿易を促進することをねらっていた。しかし，金解禁実
施が世界恐慌と重なったため，不況は激化した。内閣交代後，金輸出再禁
止がおこなわれ，金本位制は停止された。

　下線部ⓐについて述べた文として**誤っているもの**を，次の①〜④のうち
から一つ選べ。

① 第一次世界大戦による好況が続いた後，貿易は輸入超過に転じ，戦
　後恐慌がおきた。

② 関東大震災後には，震災手形の処理が懸案となった。

③ 一部の銀行の不健全な経営が判明したため，取付け騒ぎが続出し，
　金融恐慌がおきた。

④ 若槻内閣は，緊急勅令により，台湾銀行の救済に成功した。

解説

①は，戦後恐慌のときは輸出が減少し，輸入超過となったため，正しいです。
②の震災手形の処理問題は，金融恐慌の原因となっていたため，正しいです。
③の取付け騒ぎは，金融恐慌を引きおこしたため，正しいです。
④は，台湾銀行の救済のための緊急勅令が枢密院の反対で出せなかったので，
誤りです。

解答 ④

14 軍部の台頭と日中戦争

014-A 軍部の台頭

内閣	政治・戦争	経済・外交
斎藤実 まこと	■海軍・挙国一致内閣 ■1933年：**滝川幸辰**の学説が 　批判される ■社会主義者の転向が続いた ●**日本国家社会党**：国家社会主 　義 ●**社会大衆党**：国家社会主義化 ●**日本共産党**：**佐野学・鍋山 　貞親**が転向	■①**日満議定書**で満洲国承認 ■国際連盟が日本に満洲からの 　撤兵を勧告 ●**リットン調査団**の報告書に 　│基づく ■1933年：**国際連盟脱退**通告 ●日本代表：**松岡洋右** ■1933年：日中軍事停戦協定 ●満洲事変が終結
岡田 啓介 けいすけ	■海軍出身 ■1935年： 　②**国体明徴声明** ●天皇機関説を内閣が否定 ■1936年：**二・二六事件** 　→岡田内閣は総辞職した	■陸軍パンフレット問題 ■③**天皇機関説問題** ●美濃部達吉の学説を批判 ■**ワシントン海軍軍備制限条約** 　失効 ■**ロンドン海軍軍備制限条約** 　脱退 ■陸軍は**皇道派**と**統制派**が対立
広田 弘毅 こうき	■「**国策の基準**」 ■④**軍部大臣現役武官制**復活 ■**宇垣一成**内閣不成立 ●軍部が陸軍大臣を推薦しな 　かったため	■1936年：⑤**日独防共協定** ●コミンテルンに対抗する ■1936年：**西安事件** ●**張学良**が蔣介石を説得 ●抗日民族統一戦線へと動いた
林 銑十郎 せんじゅうろう	軍財抱合を唱えた →世論の支持を失う	

014-B　日中戦争と第二次世界大戦

内閣	政治・戦争	経済・外交
第1次 ⑥近衛 文麿 (このえ ふみまろ)	■内閣は当初，不拡大方針を示した ←	■1937年：⑧盧溝橋事件(ろこうきょう) ●北京(ペキン)郊外での軍事衝突 ↓
	■1937年：国民精神総動員運動	■1937年：日中戦争
	■1937年：日独伊三国防共協定(ぼうきょうきょうてい) ●枢軸国(すうじくこく)陣営が形成された	■1937年：第2次国共合作(こっきょうがっさく) ●国民政府と中国共産党の合同
	■1938年：近衛声明 ●「⑦国民政府を対手(あいて)とせず」 ●東亜新秩序(とうあしんちつじょ)(日満華(にちまんか)3国連帯)	■1937年：⑨南京(ナンキン)占領 ●南京事件がおこった ●国民政府は重慶(じゅうけい)にのがれた
	■1938年：国家総動員法 ●議会の承認なく勅令(ちょくれい)で国民を統制できる	■1938年：張鼓峰事件(ちょうこほう) ●ソ連と満洲国の国境不明確地帯での軍事衝突
平沼(ひらぬま) 騏一郎(きいちろう)	■1939年：賃金統制令(ちんぎんとうせいれい) ■1939年：国民徴用令 ●一般国民が軍需産業に動員 ■「欧州情勢は複雑怪奇」 ← 　→退陣	■1939年：ノモンハン事件 ●ソ連との軍事衝突 ■日米通商航海条約廃棄通告 ■1939年：独ソ不可侵(ふかしん)条約
阿部(あべ) 信行(のぶゆき)	■大戦不介入方針をとった ← ■1939年：価格等統制令	■1939年：第二次世界大戦 ●ドイツがポーランドに侵攻
米内(よない) 光政(みつまさ)	■1940年：⑩新体制運動展開 ●前枢密院議長の近衛文麿が中心 ●米内内閣は退陣した	■南京で新国民政府が成立 ●日本の傀儡政権(かいらい) ●汪兆銘(おうちょうめい)(重慶より脱出)が中心

これだけ！ワード （共通テストの用語選択で出る語句） → 例 ①小田原

これだけ！プチ （共通テスト重要語句） → 塵芥集

これだけ！フレーズ （共通テスト正誤判断のカギとなるフレーズ） → 北条氏

🖐ひとこと！アドバイス （得点アップのワンポイント） → 🖐分国法

これだけ！ボイス

2114

014-A　軍部の台頭

🔔 **大きく3つの時期に分けて整理しよう！**
　この時期の内閣は，二・二六事件までの時期が2人（斎藤実・岡田啓介），日中戦争までの時期が2人（広田弘毅・林銑十郎），日中戦争期が2人（近衛文麿・平沼騏一郎）となります。

▶ 国際連盟からの脱退

　前回は五・一五事件まで扱いました。五・一五事件の結果，憲政の常道が崩れます。衆議院の多数政党が政権を運営する時代でなくなるわけです。その結果，登場する内閣が**斎藤実**内閣です。

　斎藤実は海軍の人間です。斎藤内閣は犬養内閣が最後まで抵抗していた**満洲国**をあっさり承認します。①**日満議定書**（1932年）の締結です。日満議定書の締結をきっかけに，日本に対する国際社会の反発は強くなっていきます。

　国際連盟はイギリスの**リットン調査団**を満洲に派遣します。その調査報告に基づいて，満洲における日本の軍事行動を認めず，満洲から撤退するように勧告します。

　これに対して，国際連盟の日本代表**松岡洋右**は，1933年，**国際連盟からの脱退**を通告します。**日本は国際社会から孤立する道を選択**したわけです。一方で，**日中軍事停戦協定**（1933年）が結ばれ，満洲事変は終結を迎えます。

▶ 思想統制と転向

　斎藤内閣は，思想統制も重要な特徴となります。まず，京都帝国大学教授**滝川幸辰**の**刑法学説**が批判を受けます（滝川事件）。

　そして，このころ，社会主義者の転向もあいつぎます。**日本国家社会党**が結成され，多くの社会主義者が国家社会主義に転向していきます。政府の意に沿った社会主義を進めるという考えです。また，**社会大衆党**も国家主義化します。さらには，**日本共産党**の最高幹部であった**佐野学**や**鍋山貞親**が，獄中から転向声明を出していきます。

❯ 天皇機関説問題

斎藤内閣に続く内閣は，同じく海軍出身の**岡田啓介**内閣です。岡田内閣の成立当初に問題となるのが，**陸軍パンフレット問題**です。陸軍の発行するパンフレットが，国民の生活などに干渉（かんしょう）するものであるという批判を受けます。

また，前の斎藤内閣に続いて，思想統制もより強化されます。当時，貴族院議員であった**美濃部達吉**（みのべたつきち）の**天皇機関説**が，国会で批判の対象となります（1935年）。③**天皇機関説問題**です。岡田内閣は，この天皇機関説を否定する声明を出します。②**国体明徴声明**（こくたいめいちょうせいめい）（1935年）です。

また，国際社会からの孤立も加速します。まず，**ワシントン海軍軍備制限条約**（▷p.114）が失効しますが，その際に，日本は更新しませんでした。さらに，**ロンドン海軍軍備制限条約**（▷p.137）からの脱退も通告します。

❯ 二・二六事件

さて，このころ，陸軍の内部では**皇道派**（こうどうは）と**統制派**（とうせいは）の対立がおこっていました。皇道派は荒木貞夫（さだお）・真崎甚三郎（まさきじんざぶろう）らが中心，統制派は永田鉄山（ながたてつざん）・東条英機（とうじょうひでき）らが中心です。

この陸軍内部での主導権争いが発展したのが，**二・二六事件**（1936年）です。二・二六事件では，北一輝（きたいっき）の思想的影響を受けた皇道派の青年将校が，天皇を中心とした軍部政権の樹立をめざし，昭和維新を掲げて蜂起（ほうき）します。青年将校らは，斎藤実内大臣，高橋是清（これきよ）蔵相，渡辺錠太郎（じょうたろう）陸軍教育総監を殺害し，昭和維新をおこなおうとしました。

しかし，皇道派の青年将校らは，後ろ盾（だて）になってもらえると期待していた天皇から反乱軍のレッテルを貼られ，昭和維新は失敗に終わりました。この二・二六事件をきっかけに，岡田内閣は総辞職し，**陸軍は統制派が実権を握っていく**こととなります。

❯ 軍部大臣現役武官制の復活

続いての内閣は**広田弘毅**内閣です。広田弘毅は④**軍部大臣現役武官制**（げんえきぶかんせい）を復活（1936年）させます。また，日本と同様に国際社会から孤立していたドイツと⑤**日独防共協定**（ぼうきょう）（1936年）を結びます。この協定は，国際的な共産主義組織であるコミンテルンに対抗することを目的に結ばれました。

❯ 西安事件

1936年，中国では**西安事件**がおこります。当時，中国の国民政府は，中国国内にうまれた共産党のゲリラと内戦を続けていました。**張学良**は，この内戦をやめて，日本の侵攻に備えるべきであると，**蔣介石**を説得します。それにより，国民政府は共産党との内戦を一時停止し，日本の侵攻に備える体制を整えていきます。

❯ 宇垣一成の流産内閣

さて，広田内閣の次は，**宇垣一成**が首相となります。首相になった宇垣は内閣をつくろうとします。ところが，その際に陸軍が先ほど復活した軍部大臣現役武官制を利用するのです。宇垣内閣に陸軍大臣を出さないのです。この結果，宇垣はいつまでも内閣を組織することができず，とうとう内閣をつくることを断念します。

その後，陸軍統制派の**林銑十郎**が内閣を組織しますが，この内閣は人々の支持を得られず，短命に終わります。

POINT

[軍部の台頭]
① 柳条湖事件（1931年）→満洲事変→満洲国（1932年）
　→日満議定書
② 五・一五事件（1932年・犬養毅内閣）
　政党内閣の終わり
③ 国際連盟：リットン調査団派遣
　→日本の国際連盟脱退（1933年）
④ 二・二六事件（1936年・岡田啓介内閣）
　統制派の台頭
　→軍部大臣現役武官制の復活（広田弘毅内閣）
⑤ 学問・言論の弾圧
　滝川事件・天皇機関説問題（美濃部達吉）

014-B 日中戦争と第二次世界大戦

▶ 近衛文麿内閣（第1次）と盧溝橋事件

　林内閣の次は⑥**近衛文麿**内閣です。近衛内閣のときに**日中戦争**がはじまります。日中戦争のきっかけは⑧**盧溝橋事件**（1937年）です。これは北京郊外での軍事衝突です。この事件ですが，満洲事変のきっかけとなった柳条湖事件（▷p.137）と混同しやすいので，注意してください。

　この日中戦争も，前回扱った満洲事変と同様，内閣の許可なくおこした戦争です。当時の内閣総理大臣であった**近衛文麿**は，日中戦争に対して，最初のうちは**不拡大方針**を掲げます。しかし，戦争の拡大にともなって，この戦争を承認することになるのです。

▶ 国共合作と南京占領

　日中戦争をきっかけに，それまで内戦をおこなっていた中国の**国民政府**と**中国共産党**が合同します。これを第2次**国共合作**といいます。国民政府が共産党と合同したことで，日本の軍部はますます戦域を拡大していきます。

　なぜだと思いますか。当時の軍部が戦争を行う名目は「**防共**」でした。世界から共産党をなくすために戦っているといったものでした。その共産党が中国の国民政府と手を組んだということは，国民政府も共産党の一味だということになります。日本にとって戦うべき相手ということになります。

　このころ，共産主義の撲滅を掲げた**日独伊三国防共協定**（1937年）を締結したことも，戦域の拡大を後押しします。12月には，日本は国民政府の首都⑨**南京**を占領します。この南京で，日本軍が中国人を殺す**南京事件**がおこります。一方，国民政府は，南京から西の**重慶**へのがれます。

▶ 近衛声明

　南京を占領した日本は，ここで国民政府と講和条約を結ぼうと考えます。一番有利な状況で講和条約を結ぶことが，日本にとってもっとも利益になるからです。しかし，国民政府は講和に応じません。その結果，近衛文麿は，「⑦**国民政府を対手とせず**」，つまり国民政府を国家としての交渉相手とは認めない

という**近衛声明**(1938年)を出します。

また，近衛はこの戦争の目的を，日本と満洲と中国が一致団結して強いアジアをつくっていくこと(**東亜新秩序**)としており，その団結に非協力的な国民政府は中国政府としてふさわしくないと決めつけてしまいます。

❯ 国家総動員体制

さて，日中戦争の開始とともに，国民統制もおこなわれていきます。1937年には**国民精神総動員運動**がおこなわれ，翌1938年には**国家総動員法**が出されます。国家総動員法では，議会の承認なしに勅令で国民を動員できることを定めました。また，国家総動員法を実現するための機関として，**企画院**が設置されました。

❯ ソ連との軍事衝突

1938年，ソ連との軍事衝突もはじまります。ソ連と満洲の国境沿いでおこった**張鼓峰事件**です。

続いては，**平沼騏一郎**内閣です。平沼内閣では，国家総動員法に基づいて**賃金統制令**や**国民徴用令**(1939年)が出されました。国民徴用令は，一般国民を軍需産業に動員できる勅令です。

また，近衛内閣の張鼓峰事件に続いて，ソ連との軍事衝突がおこります。**ノモンハン事件**(1939年)です。

❯ 日米通商航海条約廃棄の打撃

このような中で，中国との戦争に反発したアメリカが，**日米通商航海条約の廃棄**を通告(1939年)してきます。当時，日本は輸出・輸入でアメリカへの依存度を非常に高めていました。そのためこの通告は日本の経済にとって大きな痛手でした。しかし，当時の政府としては，一度はじめてしまった戦争をやめるわけにはいきません。通告は翌1940年に発効し，これにより，日本は大きな経済的打撃を受けることになりました。

❯ 昭和初期の経済

昭和初期は，前回扱った犬養内閣による金輸出再禁止により，為替相場が下落していました。金解禁当時に比べて，半額ぐらいに下がっていたのです。こ

のことは，外国人にとって日本の品物が半額になったということを意味します。「日本製品全品半額セール」というわけです。そのため，日本製品は飛ぶように売れて，空前の**好景気**を迎えていました。**重化学工業生産は全工業生産額の約半分を占め，綿織物の輸出もイギリスを抜き，世界第1位**になりました。

しかし，この日本の好景気を支えていたのが，**アメリカ**からの輸入と輸出だったのです。そのため，日米通商航海条約の廃棄通告は，日本にとって大きな打撃となりました。

🌐 独ソ不可侵条約

さて，ソ連との軍事衝突を続けていた日本ですが，その背景にはドイツの存在がありました。日本とドイツは**日独伊三国防共協定**を締結しています。ソ連は当時，共産主義国家だったので，仮にソ連との戦争がはじまった場合，ドイツは日本を援助してくれるというわけです。

しかし，**ドイツは，日本に相談なく，突如ソ連と独ソ不可侵条約を締結**（1939年）してしまいます。つまり，「もし日本がソ連と戦っても，ドイツは助けてくれない」という事態になってしまったわけです。ドイツのこのような行動を許した平沼内閣に対して，軍部などは批判をおこないますが，平沼騏一郎は「欧州情勢は複雑怪奇」という言葉を残して，内閣を総辞職します。

🌐 新国民政府の樹立

続く**阿部信行**内閣のとき，**第二次世界大戦**がはじまります。第二次世界大戦のきっかけは，ドイツの**ポーランド侵攻**（1939年）です。阿部内閣も次の**米内光政**内閣も，第二次世界大戦には不介入の方針をとったため，**軍部などの反感を買い**，いずれも短命政権に終わってしまいます。

米内内閣のもとで，⑩**新体制運動**が展開（▷p.154）します。新体制については第15講で詳しく説明しますが，新体制運動の結果，米内内閣の次には，新体制運動の中心人物であった**近衛文麿**が内閣を組織します。

さて，さきほど，東亜新秩序の話をしました。近衛文麿は，今の国民政府では東亜新秩序は建設できないといいました。そこで，日本政府は，国民政府の要人である**汪兆銘**を使って，**東亜新秩序に賛同する中国政府を南京につくります**。これを**新国民政府**といいます。しかし，この新国民政府は，完全に日本によってつくられた政権でした。

［日中戦争］

① 日本の華北進出→盧溝橋事件（1937年）→日中戦争

② 中国：西安事件→第2次国共合作：抗日民族統一戦線

③ アメリカ：日米通商航海条約の廃棄（1939年）

④ 日ソ衝突：張鼓峰事件・ノモンハン事件での敗北

共通テスト演習問題 14

問題

　次の絵は『東京パック』1936年（昭和11年）7月号に掲載された風刺漫画で，当時の世相を活写している。題して「日本犬デー，街でみた風景」とある。

問1　この絵が発表されたときの内閣は，どのような事件をきっかけにしてうまれたのか。次の①〜④のうちから正しいものを一つ選べ。

①　陸軍青年将校らが，政府が天皇の統帥権をおかしたと非難し，時の首相を殺害した事件。

②　海軍青年将校らが，軍部政権の樹立をめざすクーデタをおこし，時の首相を殺害した事件。

③　海軍青年将校らが，政府が天皇の統帥権をおかしたと非難し，時の蔵相を殺害した事件。

④　陸軍青年将校らが，軍部政権の樹立をめざすクーデタをおこし，時の蔵相を殺害した事件。

問2 この絵が描かれた時期の日本経済の特徴として正しいものを，次の
①～④のうちから一つ選べ。

① 軍需などに支えられて重化学工業が急速に発達し，その生産額は全
工業生産額のほぼ半分に達した。

② 貿易収支は慢性的な入超から一時的に空前の出超となり，好景気の
なかで船成金などが現れた。

③ 工業生産額は農業生産額を上回り，全産業の生産額の50パーセン
トをはじめて超えた。

④ ドイツのブロック経済圏への依存度を急速に増していったが，貿易
収支は好転するどころか悪化する一方であった。

（解説）

問1 ①と③の文中にある「政府が天皇の統帥権(とうすいけん)をおかした」との非難は，ロンド
ン海軍軍備制限条約の締結時におこった統帥権の干犯(かんぱん)問題です。問題文は
二・二六(に・にろく)事件のことなので，無関係。そのため，②と④に絞り込むことがで
きますが，二・二六事件では首相は暗殺されていないので，②は誤り。首相
が暗殺された事件は，前回の講義で扱った五・一五(ご・いちご)事件。二・二六事件では，
陸軍皇道派(こうどうは)の青年将校が，高橋是清(これきよ)蔵相などを殺害しました。よって，④が
正解です。

解答 ④

問2 昭和初期の経済の特徴は，重化学工業の発展なので，①の重化学工業の生
産額が「全工業生産額のほぼ半分に達した」が正解。②の船成金(ふななりきん)，③の工業生
産額が農業生産額を上回ったのは，大正時代の経済の特徴。④については，
当時の日本はアメリカへの経済依存度を高めていたので，「ドイツ」の部分
と「ブロック経済圏」の部分が誤り。

解答 ①

歴史総合の窓

世界のできごとは，同時代の日本を意識しながら確認しましょう。

1 第一次世界大戦後のイギリス・ドイツ・アメリカ

日本▷ 011-A ～ 011-C ／原敬内閣～第二次護憲運動のころ

　イギリスの第一次世界大戦は総力戦でした。女性が働き手として活躍しました。そのため，女性にも権利をという動きがおこります。イギリスでは，1918年に男性普通選挙が認められるのと同時に，**女性参政権**が認められました。また，1924年には，初めての労働党政権が誕生します。女性以外に，自治領にも権利が認められるようになります。イギリス本国と対等の地位を自治領にも認める**イギリス連邦**(コモンウェルス)が1931年に成立します。

　第一次世界大戦の敗戦国となった**ドイツ**は，民主的な内容の憲法を制定します(ヴァイマル憲法)。

　しかし，その後ドイツは，第一次世界大戦での多額の賠償金の支払いに苦しむことになります。賠償金の支払いが滞るようになります。すると，それに怒ったフランスが，ドイツのルール工業地帯を占領してしまうのです。このことをきっかけに，ドイツはすさまじいインフレに陥ってしまうのです。

　正直ドイツが，そのまま賠償金を支払い続けることは，財政的にも不可能でした。そこで成立するのがドーズ案です。まず，ドイツの年間賠償額を引き下げます。それでも，ドイツにとってはギリギリです。そこで**アメリカ**が，ドイツに資金を貸し付けるのです。アメリカは戦場になっていなかったため，経済的に余裕がありました。このドーズ案をきっかけに，アメリカがヨーロッパ経済に口出しできるきっかけがつくられることとなったのです。

2 アメリカの大衆文化と移民の抑圧

日本▷ 011-A ～ 011-C
原敬内閣～第二次護憲運動のころ

　アメリカは，1920年代から**大衆消費社会**に突入します。**都市中間層**とよばれる人々を中心に，**ラジオ放送**の開始などの**大衆文化**が発展します。

　アメリカは移民に打撃を与えるため，禁酒法と**移民法**を出します。移民法はアジアからの移民を禁止します。これは主に，日本を押さえ込むためです。ワシントン会議だけでなく，ここでも日本は目の敵にされるのです。

　禁酒法は，アルコールの製造販売を禁止する法令です。酒造業は，移民系企業(とくにドイツ系)が多かったので，移民に打撃を与えようとしたのです。

3 ガンディーの登場とパレスチナ問題 日本▷ 011-A ～ 014-A 原敬内閣～二・二六事件のころ

　第一次世界大戦が終わった1919年，インド統治法が出されます。しかしこれは，イギリスによる干渉(かんしょう)がひどいものでした。インド統治法に反発して，まず立ち上がったのが，**ガンディー**でした。ガンディーは，「**非暴力・不服従**」を掲げて抵抗しました。次に**ネルー**は，イギリスからの完全独立（プールナ＝スワラージ）を決議します。

　ガンディーは，「塩の行進」をおこないました。法をおかしてでも自分の手で塩をつくることで，植民地支配に対抗しようとしたのです。このような動きを受けて，1935年に新しいインド統治法が出されます。各州の自治を，インド人がおこなうことが定められたのです。

　インドは，ヒンドゥー教徒の多い国でしたが，ムスリムと仏教徒もいました。インドの中でもムスリムが多い地域では，パキスタンをつくろうという動きがおこりました。

　第一次世界大戦が終わると，中東の国々も独立していきます。そのような中，**ユダヤ人**が**パレスチナ**地方に入植しはじめます。ユダヤ人がパレスチナで独立国家を建設しようと計画したため，パレスチナ問題がおこってくるのです。

┌ パレスチナ問題 ┐

　パレスチナ問題とは，パレスチナという地域をめぐって，ユダヤ人とアラブ人が対立をおこしている問題のことです。2000年以上前におこり，現在でもイスラエルと武装組織ハマスの間での戦闘が続いています。

　パレスチナとは，地中海の東に位置する沿岸地域のことで，レバノン，シリア，ヨルダン，エジプトに囲まれた場所です。

　2000年以上前，パレスチナにはユダヤ教を信じるユダヤ人による王国がありました。しかし，この王国はローマ帝国によって滅ぼされてしまいます。

　ユダヤ人は，パレスチナを追い出され，世界各地へ移り住むことになりました。

　19世紀になると，「ユダヤ教の聖地イェルサレムのあるパレスチナへ戻ろう」と考えたユダヤ人たちにより，祖国復帰運動がおこります。これを「シオニズム運動」といいます。この時，イギリスが，ユダヤ人国家の建設を支持したのです。ユダヤ系の大財閥から資金援助を引き出したかったからです。

　しかし，イギリスは一方で，アラブ人にも，「ここに独立国家をつくっていいよ」と約束していましたし，さらにはフランスとパレスチナ地域を山分けする密約まで結んでいたのです。

　パレスチナ問題は，イギリスが引っかき回したというわけです。

15 太平洋戦争と終戦

015-A 太平洋戦争への道標

内閣	政治	外交
第2次 ①近衛 文麿	■1940年：②大政翼賛会を発足 ●総裁：内閣総理大臣 ●支部長：道府県知事 ■1940年：大日本産業報国会 ●労働組合はすべて解散 ■1941年：米の配給制 ■1941年：国民学校令	■1940年：③北部仏印進駐 ●援蔣ルートの遮断が目的 ●ABCD包囲陣による経済封鎖 ■1940年：日独伊三国同盟 ●アメリカを仮想敵国とした ■1941年：日米交渉の開始 ●日本：野村吉三郎 ●アメリカ：ハル ■1941年：日ソ中立条約 ●外相：松岡洋右 ■1941年：独ソ戦争の開始
第3次 近衛 文麿	■1941年：帝国国策遂行要領 ●対米交渉がまとまらないときの開戦を決定 ■首相と東条英機陸相の対立 ■近衛内閣の退陣	■1941年：関東軍特種演習 ●独ソ戦争がきっかけ ■1941年：④南部仏印進駐 ●在米日本人の資産凍結 ●アメリカの対日石油輸出が禁止

[昭和初期の思想弾圧]

年	事件・結果	中心人物	著書
1937	矢内原事件	矢内原忠雄	『帝国主義下の台湾』
1938	人民戦線事件	大内兵衛・有沢広巳・美濃部亮吉	
1938	著書発禁	河合栄治郎	『ファシズム批判』
1940	著書発禁	津田左右吉	『神代史の研究』

015-B 太平洋戦争

内閣	政治	外交
⑤東条英機	■⑥翼賛選挙：大政翼賛会の推薦者が絶対多数当選 ●当選議員は翼賛政治会を結成 ■1943年：学徒動員・女子挺身隊 ■1943年：学徒出陣の開始	■ハル＝ノート ●日米交渉が決裂 ●御前会議 ■真珠湾攻撃 ●米英に宣戦布告 ■1941年：太平洋戦争 ■1942年：ミッドウェー海戦 ■1943年：イタリアが降伏 ■1943年：⑦カイロ宣言 ■1944年：サイパン島陥落
小磯国昭	■海軍の米内光政と連立内閣 ■1944年：学童疎開の開始 ■1944年：本土空襲の開始 ■1945年：東京大空襲	■米軍がフィリピンに上陸 ■1945年：⑧ヤルタ会談 ●ソ連の対日参戦が決定 ■米軍が沖縄本島に上陸
⑨鈴木貫太郎	■1945年：広島・長崎に原爆投下 ■1945年：ソ連が対日参戦 ■ポツダム宣言受諾 ●無条件降伏	■1945年：ドイツが降伏 ■1945年：沖縄戦が終結 ■1945年：⑩ポツダム宣言

例
これだけ！ワード（共通テストの用語選択で出る語句）──→ ①小田原
これだけ！プチ（共通テスト重要語句）──→ 塵芥集
これだけ！フレーズ（共通テスト正誤判断のカギとなるフレーズ）→ 北条氏
☞ひとこと！アドバイス（得点アップのワンポイント）──→ ☞分国法

これだけ！
ボイス

2115

原始 ― 古墳 ― 飛鳥 ― 奈良 ― 平安 ― 鎌倉 ― 室町 ― 安土桃山 ― 江戸 ― 明治 ― 大正

昭和

平成

015-A 太平洋戦争への道標

🔔 **共通テストの最重点テーマ**

さて，今回でいよいよ戦前の最終講となります。太平洋戦争に関連する問題は，センター試験と同様，頻出することが予想されます。戦争に対する是非などについて，本書ではコメントを避けますが，みなさんがこれから国際社会で活躍していくにあたって，日本がどのような経過を経て戦争に至ったのかを理解することは，非常に大切だと思います。それでは，講義に入りましょう。

▶ 大政翼賛会

前回は新体制運動までやりました。この**新体制運動**を実現するために，内閣総理大臣になったのが，近衛文麿です。第2次①**近衛文麿**内閣は，1940年に②**大政翼賛会**を発足させます。大政翼賛会とは上意下達機関で，全国にあったすべての政治団体や労働団体・青年会や婦人会に至るまであらゆる団体が大政翼賛会の傘下に入ります。そして，大政翼賛会の号令のもとに，国民を一致団結させていこうというのが，新体制運動なのです。

大政翼賛会の発足にともなって，**政党や政治団体はすべて解散**させられ，大政翼賛会の傘下に入ります。**労働団体もすべて大日本産業報国会に統一**させられ，これも大政翼賛会の傘下に入りました。

▶ 北部仏印進駐

1937年にはじまった**日中戦争**は，**南京占領までは日本側にとって有利に進んでいた**のですが，このころになると，しだいに泥沼化していきます。中国が日本に対してなかなか降伏しないからです。

中国がなかなか降伏しない背景には，**援蔣ルート**の存在がありました。援蔣ルートとは，**蔣介石**，つまり国民政府を援助するためのルートのことです。このルートを使って，アメリカやイギリスなどが国民政府に援助物資を送り，国民政府を支援していたのです。そこで，日本はこの援蔣ルートを遮断するため

に，③**北部仏印進駐**（「仏印」とはフランス領インドシナのことで，現在のベトナム）をおこないます。

　北部仏印進駐をおこなうことによって，日本はアメリカやイギリスの行動を邪魔することになり，この2国を敵に回すことになってしまいました。これが太平洋戦争に発展していくわけです。

　アメリカ，イギリスは中国やオランダとともに，日本に対して経済封鎖をはじめます。これを **ABCD 包囲陣** といいます。A（America）は**アメリカ**，B（Britain）は**イギリス**，C（China）は**中国**，D（Dutch）は**オランダ**です。

日独伊三国同盟

　アメリカを敵に回すことになってしまった日本は，**アメリカ**との戦争を想定，つまりアメリカを仮想敵国として，ドイツ・イタリアと軍事同盟を締結します。それが**日独伊三国同盟**（1940年）です。

　しかし，やはりアメリカとの戦争は避けたいわけです。そこで，政府は**野村吉三郎**にアメリカとの交渉をおこなわせます。

　一方で，アメリカ・イギリスを敵に回した以上，ソ連と戦うわけにはいかなくなります。アメリカ・イギリス・ソ連のすべてを敵に回してしまったら絶対に勝つことはできないからです。そこで，当時の外相**松岡洋右**は，ソ連と**日ソ中立条約**を締結します。

配給制

　当時，アメリカやイギリスの経済封鎖を受けた日本は，経済的に深刻な状況に陥ります。「ぜいたくは敵だ」というスローガンのもとに，衣服やマッチ・木炭などの生活必需品は，持っている切符の範囲で購入できる**切符制**が採用されていましたが，それに加えて，1941年，**米**については**配給制**が採用されます。

思想の弾圧

　昭和初期の思想弾圧事件については，前回の講義で扱った**滝川事件**や**天皇機関説問題**（▷p.143）以外にも，152ページの表解板書に記したような事件があります。👆暗記するというよりも，これらの事件が昭和初期の思想弾圧であると識別できるようにしてください。矢内原忠雄の**矢内原事件**，大内兵衛らが弾圧される**人民戦線事件**，河合栄治郎の『**ファシズム批判**』の発行禁止，**津田左**

右吉の『神代史の研究』の発行禁止などです。

　こうした自由主義的な思想の弾圧に加えて，国家主義教育を強化するため，1941年には**国民学校令**が出され，小学校が**国民学校**となりました。

[戦時統制]
① 国家総動員法(1938年)：議会の形骸化
② 国民徴用令(1939年)：勤労動員
③ 国民精神総動員運動→大政翼賛会(1940年)
　{ 地域：町内会・部落会・隣組
　{ 職場：大日本産業報国会
④ 戦時統制経済：生活必需品の切符制・配給制

POINT

❯ 独ソ開戦と関東軍特種演習

　第3次近衛内閣が成立する直前に，**独ソ開戦**となります。**独ソ不可侵条約**を結んでいたはずのドイツとソ連が，戦争をはじめてしまったのです。独ソ不可侵条約と日ソ中立条約がある限り，ソ連と戦争をすることはないだろうと思っていた日本は焦ります。

　そこで，当時手薄になっていた，ソ連と満洲の国境沿いに大量の軍隊を移動させます。ただし，その際にソ連に警戒されては困るので，ソ連と満洲の国境沿いで特別な軍事演習をするという名目で軍隊を移動させました。これが**関東軍特種演習**(1941年)です。

❯ 南部仏印進駐

　アメリカやイギリスの経済封鎖の結果，日本の経済は深刻な状況に陥ります。石油などの資源が日本に入ってこなくなってしまったからです。この状況を打開するために，日本は④**南部仏印進駐**(1941年)をおこないます。**石油**やアルミニウムの原料である**ボーキサイト**などの資源を求めて，進駐するわけです。

　しかし，このような軍事行動は，アメリカとの関係をさらに悪化させます。

　アメリカに住んでいる日本人の資産が凍結されたり，**アメリカ**から**日本**への**石油輸出**が禁止されたりします。前回の講義でも扱ったように，昭和初期の日本は輸出の面でも輸入の面でも完全にアメリカに依存していました。そのため，

このようなアメリカの措置は日本にとって，どうしようもない状況に追い込まれるほどの打撃となりました。

🅑 対米交渉の難航

陸軍は，早めにアメリカと戦争を開始するべきだと唱えます。しかし，近衛内閣はあくまでも日米交渉を優先させて，アメリカとの関係修復の道を模索していました。そこで，陸軍と政府の間で話し合いの場が持たれ，**帝国国策遂行要領**(1941年)が定められます。これは，**対米交渉が期限内にまとまらなければ，戦争をおこなうと定めた**ものです。

しかし，その期限はあっという間にやってきます。日本とアメリカとの交渉は，もちろん難航しています。陸軍は開戦を要求しますが，近衛首相は，アメリカとの交渉をもう少しやらせてくれと頼みます。陸軍は「早めの開戦こそが日本を有利な状況にもっていく唯一の方法である」と考えていました。**東条英機**陸軍大臣は強硬に交渉打ち切りを要求します。そのため閣内不統一となった近衛内閣は総辞職せざるをえませんでした。

015-B 太平洋戦争

🅑 東条英機内閣

近衛内閣がたおれた後に組閣するのが，陸軍の⑤**東条英機**です。東条としてはすぐにでも戦争をはじめたいのですが，天皇が日米交渉の継続を求めたため，日米交渉を継続します。しかし，アメリカ側も遅々として進まない日米交渉にしびれをきらし，とうとう最後通告をつきつけてきます。これが**ハル＝ノート**(1941年)です。

ハル＝ノートでは，日本が満洲事変以前の状態に戻るのであれば，日米交渉に応じようというものでした。つまり，満洲事変以降にやったことがすべて水の泡になってしまうという内容です。ハル＝ノートは，日本にとってとても承諾できるものではありませんでした。そこで，この後に開かれた天皇の前での**御前会議**で，日本は開戦を決定するのです。

▶ 太平洋戦争の開戦

1941年12月8日，ハワイの**真珠湾攻撃**によって**太平洋戦争**は幕を開けます。
日本はアメリカ・イギリスに宣戦布告をするわけです。日本は当時，この戦争
を**大東亜戦争**とよんでいました。そして，日本が戦争をする目的については，
大東亜共栄圏の建設であるとうたうわけです。

大東亜共栄圏の建設とは，「アジアの国々をアメリカやヨーロッパの植民地
侵略から救い，日本を中心として，アメリカやヨーロッパに屈しない強いアジ
アをつくっていこう」というものでした。

太平洋戦争は，最初のうちは，日本に有利な戦局でした。しかし，1942年
の**ミッドウェー海戦**をきっかけに戦局が不利になっていきます。そして，1944
年に**サイパン島が陥落**します。これにより，アメリカによる本土空襲が可能に
なるのです。この責任をとる形で，東条内閣は総辞職してしまいます。

▶ 翼賛選挙と国民の動員

東条内閣のときにおこなわれた衆議院議員総選挙を⑥**翼賛選挙**といいます。
翼賛選挙では，**大政翼賛会**が推薦候補を決めて，その推薦候補で国会の絶対多
数を確保します。当選者は**翼賛政治会**を結成しました。この結果，国会です
ら大政翼賛会の上意下達機関になってしまうわけです。

戦局が悪化するにしたがって，学生が軍需工場に動員される**学徒動員**がおこ
なわれます。また，1943年には，従来は兵役を免除されていた文科系大学生
の**学徒出陣**もはじまります。

日本人の動員以外に，占領地域の中国人や朝鮮人に労働を強制する強制労働
もおこなわれました。その際に，中国人や朝鮮人が日本流の名前をつける**創氏
改名**などの「**皇民化**」政策も実施されます。

▶ 戦局の悪化

東条内閣がたおれた後の**小磯国昭**内閣は，**海軍の米内光政**との連立内閣と
いう形をとります。このころ，戦争の舞台がアジアから日本へと移っていきま
す。というのも，米軍がサイパン島を陥落させた結果，米軍による日本の空襲
が可能になったからです。これを**本土空襲**といいます。アメリカは「日本の軍
事拠点を爆撃した」と主張していますが，実際には，空襲で多くの民間人が犠
牲になってしまいました。

そこで，国内では小学生を地方に移住させる**学童疎開**がおこなわれました。1945年3月には**東京大空襲**がおき，一夜にして約10万人が犠牲になります。

また，日本の領土の中で唯一，沖縄が戦場になります。米軍の**沖縄本島**上陸です。この沖縄戦では，多数の住民が戦闘に巻き込まれます。旧制中学校の学生に至るまで，男子は**鉄血勤皇隊**として戦闘にかり出され，女子は**女子学徒隊**（看護要員）として戦場に送り出されました。

❯ 連合国の首脳会議

小磯内閣のころから，終戦に向けての外交交渉が進められていました。アメリカやイギリスを中心とした連合国も終戦後についての話し合いをおこなっていました。

まず，1943年の⑦**カイロ宣言**では，アメリカ（ローズヴェルト）・イギリス（チャーチル）・中国（蔣介石）が参加して，**満洲・台湾**を中国に返還し，**朝鮮**を独立させることなどを定めました。また，1945年の⑧**ヤルタ会談**では，アメリカ（ローズヴェルト）・イギリス（チャーチル）にソ連（スターリン）が参加して，秘密協定として**ソ連の対日参戦**を決定しました。

❯ ポツダム宣言の受諾

終戦のときの内閣が⑨**鈴木貫太郎**内閣です。1945年，日独伊三国同盟を結んでいたドイツが降伏し（イタリアは1943年に降伏），降伏していない国は日本のみとなっていました。アメリカ（トルーマン）・イギリス（チャーチル，後にアトリー）・ソ連（スターリン）はベルリン郊外のポツダムで会談して，日本の**無条件降伏**などを定めた⑩**ポツダム宣言**を採択します。

ポツダム宣言はアメリカ・イギリス・中国の名で，7月26日に日本に勧告されますが，日本はこの要求に応じません。そこで，1945年8月6日**広島**に，8月9日**長崎**に**原子爆弾**が投下され，数十万人が犠牲となります。

8月8日には，**ヤルタ会談**での決定に基づき，ソ連が日本に対して宣戦布告をします。しかし，これは日本がソ連と締結した日ソ中立条約に完全に反する内容のものでした。しかも，日本は当時，ソ連を仲介役として和平交渉をおこなっていたため，このソ連の行為は日本政府に大きな衝撃を与えました。

日本は8月14日に**ポツダム宣言を受諾**し，翌15日終戦となります。

問題

　1937年7月にはじまった⒜日中戦争は，軍部の短期決戦の予想にもかかわらず長期化し，解決の見通しも立たないまま1941年末には太平洋戦争へと拡大した。1943年2月にソロモン諸島のガダルカナル島から日本軍が撤退すると，日本は太平洋戦争の主導権を失った。1944年7月，マリアナ諸島のサイパン島陥落を機に東条英機内閣は総辞職した。

　1945年2月，米英ソの連合国首脳はヤルタ会議を開き，ドイツ降伏後のソ連の参戦を決めた。そして，同年7月には米英中3国が共同でポツダム宣言を発表し，日本に無条件降伏を求めた。鈴木貫太郎内閣は，同年8月，無条件降伏した。

問1　下線部⒜に関連して，日中戦争開始後の戦時体制に関して述べた文として正しいものを，次の①〜④のうちから一つ選べ。

① 戦線の拡大にともなって，植民地での徴兵制実施が検討されたが，実施されなかった。

② 政府の後押しにより，日本労働組合総評議会（総評）が結成された。

③ 「挙国一致」を掲げた国民精神総動員運動が展開された。

④ 日中戦争が長期化することを見すえて国家財政の健全化が必要となり，国債の発行が停止された。

問2　次の文Ⅰ〜Ⅲについて，古いものから年代順に正しく配列したものを，下の①〜④のうちから一つ選べ。

Ⅰ　政府は，戦時にすべての人的・物的資源を勅令で統制できる国家総動員法を制定した。

Ⅱ　アメリカは，広島と長崎に原子爆弾を投下した。

Ⅲ　文科系学生の徴兵猶予が停止され，学徒出陣がはじまった。

① Ⅰ—Ⅱ—Ⅲ　　② Ⅰ—Ⅲ—Ⅱ

③ Ⅲ—Ⅰ—Ⅱ　　④ Ⅲ—Ⅱ—Ⅰ

解説

問1 一見習っていない内容がたくさん出ているように見えるかもしれませんが，習った内容でしっかり解ける問題です。

① 植民地での徴兵制実施は，日中戦争開始後ではなく太平洋戦争のころの内容です。ただ，このことを知らなくても，日中戦争開始のころに徴兵制を植民地でやっていたかどうかといったことは習っていないので，この選択肢は保留にして，次に進むとよいでしょう。

② 日本労働組合総評議会が結成されたのは，戦後のことです。ただし，そのことを知らなくても，私たちは戦時中にこのような内容を習っていないので，この選択肢も保留にして次に進んでください。

③ 国民精神総動員運動は，挙国一致を掲げた運動です。ですから，この選択肢は明らかに正しいということになり，正解は③となります。

④ 国債とは国の借金のことです。日本は戦争で多額のお金を必要としていたわけですから，国債発行をやめるとは考えにくいということで，この選択肢は誤りではないかと推測してください。

解答 ③

問2 Ⅰの国家総動員法は，日中戦争開始直後のできごとです。Ⅱの広島と長崎への原子爆弾投下が，ポツダム宣言受諾，日本の無条件降伏の直接の原因となりました。Ⅲの学徒出陣は太平洋戦争の戦局が悪化した後のできごとですが，終戦の直前よりは古い時期のできごとです。よって，Ⅰ→Ⅲ→Ⅱの順となり，解答は②となります。

解答 ②

歴史総合の窓

世界のできごとは，同時代の日本を意識しながら確認しましょう。

1　1939年の動き

日本▷ 014-B
阿部信行内閣のころ

　1939年，**ドイツ**が**ポーランド**侵攻を開始すると**イギリス**と**フランス**は，ドイツに宣戦布告し，第二次世界大戦が始まります。

　間もなく，**ソ連**もポーランド侵攻をおこない，ポーランドは西と東から挟み撃ちになってしまいます。

2　1940年の動き

日本▷ 015-A
北部仏印進駐～日独伊三国同盟のころ

　翌1940年になると，イギリスとドイツとの間で本格的な戦争が勃発します。ドイツが**ノルウェー**に侵攻したからです。イギリスの首相は**チャーチル**に変わっていました。チャーチルは「ドイツと戦うべきだ」と主張します。

　しかし，ドイツは快進撃を続けます。オランダ・ベルギーはまもなくドイツに敗北。そしてついにパリが陥落し，**フランス**が降伏するのです。

　こうしたドイツの勢いに乗ろうと考えたのがイタリアです。イタリアは，ドイツが戦闘中であったイギリス・フランスに宣戦布告をします。

　一方のソ連は，エストニア・ラトビア・リトアニアの**バルト3国**を併合して，ドイツと対抗する姿勢を示します。

3　1941年の動き

日本▷ 015-A ～ 015-B
太平洋戦争開戦のころ

　1941年になると，ヨーロッパの大半がドイツ・イタリア・ソ連の支配下に置かれることとなりました。ドイツ・イタリアでは，ファシズムに対する抵抗運動がおこります。これを**レジスタンス**と言います。

　そしてこの年，ドイツは不可侵条約を結んでいたソ連への侵攻を開始するのです。「まさかドイツが攻めてくることはないだろう」と考えていたソ連は，大打撃を受けます。

　この頃，**アメリカ**が，イギリス・ソ連を中心とした連合国側につくこととなります。アメリカ国内で，不参戦での戦争協力を可能にする武器貸与法が成立したからです。アメリカ大統領の**フランクリン＝ローズヴェルト**とイギリスの指導者**チャーチル**は会談し，のちの国連憲章のもとになる，**大西洋憲章**を採択しました。アメリカとイギリスを中心とする，戦後の国際秩序に向けて動き出したのです。

　しかし，ドイツの快進撃はまだまだ続いています。ドイツは，ソ連の首都であるモスクワ近郊にまで押し寄せていました。

　ここでついに日本は，アメリカ・イギリスに対して宣戦布告するのです。

4 1942〜44年の動き

日本▷ 015-B
ミッドウェー海戦〜サイパン島陥落のころ

戦況は，当初ドイツと日本にとって有利なものでしたが，1942年になって戦況に変化が見られるようになります。

日本は，1942年のミッドウェー海戦をきっかけに戦況が不利になりましたが，ドイツも同じ年に戦況が不利になります。**スターリングラード**の戦いで，赤軍(ソヴィエト連邦軍の前身)が勝利するのです。

翌1943年には，ソ連はコミンテルン(▷p.119)を解散させます。アメリカやイギリスとの距離を縮めるためです。アメリカ・イギリス・ソ連が，完全にドイツを叩き潰そうと動き出すのです。

連合軍はシチリアに上陸し，**イタリア**は降伏します。この頃，ドイツはユダヤ人の大量虐殺を行っていました。**ホロコースト**です。

イタリアを降伏させた連合軍は，テヘラン会談でどこからドイツに攻撃するかを話し合います。

その結果，翌1944年，連合国軍は北フランスの**ノルマンディー**に上陸し，パリを解放します。そしてドイツに西から攻め入るのです。

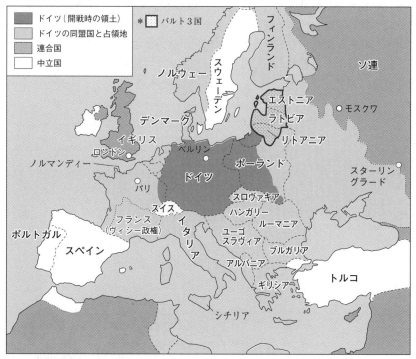

▲第二次世界大戦中のヨーロッパ

ソ連も東側からベルリンを目指して進軍します。

同1944年には，日本でもサイパン島が陥落し，アメリカによる本土空襲が行われるようになりましたね。日本とドイツは同じように動いていくのです。

5 1945年の動き

日本▷ 015-B
ポツダム宣言受諾のころ

4月，降伏したイタリアの指導者であった**ムッソリーニ**が処刑されます。ドイツでは**ヒトラー**が自殺します。

そして翌5月には，ソ連の赤軍がベルリンを占領してドイツが降伏するのです。

6 新しい国際体制

日本▷ 015-B
GHQの占領政策のころ

1945年10月，アメリカのニューヨークで**国際連合**が発足します。国際連盟の反省をふまえてつくられたもので，軍事力を行使できる**安全保障理事会**が設けられます。安全保障理事会の意思決定は全会一致ではなく，多数決がとられました。一方で，安全保障理事会の常任理事国には**拒否権**が与えられました。

新しい国際通貨体制もつくられます。**ブレトン＝ウッズ国際経済体制**です。これは，ブロック経済圏の反省をふまえてつくられました。これにより，戦争によって収支が悪化した国を支援する体制が整いますが，この体制はアメリカの圧倒的な経済力を背景としたもので，アメリカの世界のリーダーとしての地位が確立していくのです。

これで，戦前までの講義は終わりです。あと一息，現代も頑張りましょう。

現代

GENDAI

昭和

平成

16 占領政策

占領下の内閣

内閣・政党	政治	経済・外交
東久邇宮 稔彦 （皇族）	■1945年：プレス＝コード ■1945年：ポツダム勅令 ●GHQの指令は憲法を超える 　拘束力を持つ	■1945年：降伏文書調印 ●外相：重光葵 ●ミズーリ号で調印
幣原喜重郎 （日本進歩党）	■1945年：五大改革指令 ■1945年：神道指令 ■1946年：天皇の①人間宣言 ●天皇の神格を否定	■1946年：金融緊急措置令 ●預金封鎖・新円切換 ●インフレ抑制が目的
第1次 吉田茂 （日本自由党）	■日本国憲法 ●1946年11月3日：公布 ●1947年5月3日：施行 ■1947年：総選挙 ●日本社会党が第一党に	■②傾斜生産方式の採用 ●鉄鋼・石炭など重要産業 　に重点的に復興金融金庫 　が融資をおこなう ●復金インフレがおこった ■③ニ・一ゼネスト計画 ●GHQが中止指令
片山哲 （④日本 　社会党）	■3党連立内閣 ●民主党・国民協同党と連立 ■労働省が設置された ■民法の改正	
芦田均 （⑤民主党）	■3党連立内閣 ●日本社会党・国民協同党と 　連立 ■疑獄事件（昭和電工事件）	■1948年：GHQが政令 　201号を発令 ●公務員のストライキを 　禁止

016-B 民主化の諸政策

女性参政権の付与

- ■1945年：**衆議院議員選挙法**改正
- ●**満20歳以上の男女すべてに選挙権**
- ●有権者は全人口の50.4%となる
- ■1946年：戦後初の**総選挙**
- ●女性議員39名が当選
- ●**日本自由党**が第一党

秘密警察などの廃止

- ■戦犯容疑者の逮捕
- ●政治犯の釈放
- ■特別高等警察・治安維持法の廃止
- ■**公職追放**
- ●戦争協力者など約21万人を追放
- ■**極東国際軍事裁判**の開廷

労働組合の結成奨励

- ■1945年：⑥**労働組合法**
- ●団結権・団体交渉権・争議権
- ■1946年：**労働関係調整法**
- ■1947年：**労働基準法**
- ■**労働組合**の結成
- ●日本労働組合総同盟(右派)
- ●全日本産業別労働組合会議(左派)

経済機構の民主化

- ■**財閥解体**
- ●財閥の**資産凍結**・解体を指令
- ●1946年：
  ⑨**持株会社整理委員会**が発足
  持株会社・財閥家族の有する株
  式を処分
- ●1947年：**独占禁止法**
  監視機関として公正取引委員会
  が設置される
- ●1947年：
  ⑩**過度経済力集中排除法**
  325社が指定され，11社が分割
  される
- ■**寄生地主制の解体**
- ●1945年：農地改革指令
- ●1946年：第一次**農地改革**
  └→幣原内閣
- ●1947年：第二次**農地改革**実施
  └→第1次吉田内閣

教育制度の自由主義的改革

- ■**修身・日本歴史・地理**の授業停止
- ■アメリカ教育使節団の来日
- ■1947年：⑦**教育基本法**
- ●教育の機会均等・義務教育9年・男女共学
- ■1947年：⑧**学校教育法**
- ●六・三・三・四制
- ■1948年：**教育委員会法**
- ●教育委員会の委員は**公選制**

- これだけ！ワード（共通テストの用語選択で出る語句）────→ ①**小田原**
- これだけ！プチ（共通テスト重要語句）────→ **塵芥集**
- これだけ！フレーズ（共通テスト正誤判断のカギとなるフレーズ）──→ **北条氏**
- ☞ひとこと！アドバイス（得点アップのワンポイント）────→ ☞**分国法**

これだけ！
ボイス

2216

占領下の内閣

📢 **基本用語をおさえれば9割ゲット！**

　今回からいよいよ戦後となります。戦後は学校でも共通テスト直前に習うので，苦手にしている人が多い分野です。ただ，戦後はそんなに細かい問題は出題されませんので，基本的な用語を中心にしっかりとマスターしていけば，9割は楽勝で取ることができます。頑張っていきましょう。

▶ 東久邇宮稔彦内閣とGHQの占領政策

　戦後最初の内閣は**東久邇宮稔彦内閣**です。彼は皇族です。皇族が内閣総理大臣になるのは，これが最初です。

　終戦後，日本には占領軍が進駐してきます。日本の占領政策は**間接統治**でした。間接統治とは，占領軍が直接統治をおこなわないやり方です。日本の統治はあくまでも日本政府がおこないますが，<u>日本政府はGHQの指令・勧告に基づいて日本の統治をおこなう</u>ということです。ただし，奄美群島・沖縄を含む南西諸島と小笠原諸島はアメリカが直接軍政を敷きますし，南樺太・千島列島はソ連が直接軍政を敷きます。

　さて，ここでGHQという言葉が出てきましたが，**GHQ**とは**連合国軍最高司令官総司令部**のことです。このGHQが日本の占領政策をおこなっていたのです。GHQの最高司令官は**マッカーサー**です。

　占領政策の最高機関は極東委員会です。極東委員会はワシントンにおかれ，占領政策について決定していました。また，**GHQの諮問機関として対日理事会**が東京におかれました。

　東久邇宮内閣のもとで**降伏文書**が調印されます。これによって，日本は降伏したことになります。日本の統治は，さきほども述べたように，GHQが日本政府を通じて間接統治をおこなうわけです。GHQはまず，**プレス＝コード**を出して占領軍への批判を禁止します。また，**ポツダム勅令**によって，<u>GHQの指令は憲法よりも優先される</u>と規定します。

> **POINT**
>
> [占領機構]
> ① 間接統治がおこなわれた
> ② GHQ(連合国軍最高司令官総司令部)：本部は東京
> ③ 極東委員会：占領政策の最高機関，本部はワシントン
> ④ 対日理事会：GHQの諮問機関，本部は東京

❯ 幣原喜重郎内閣

GHQ は東久邇宮内閣に対して民主化改革を要求します。しかし，内閣がこれに応じなかったため，東久邇宮内閣は総辞職します。

続いて成立するのが，**幣原喜重郎**内閣です。☞**幣原といえば，戦前にはワシントン体制のもとで協調外交(▷p.132)を展開した人物ですね。**

1945年，幣原内閣は GHQ の指示で**五大改革指令**を出します。五大改革指令は⑴**婦人参政権の付与**，⑵**労働組合の結成奨励**，⑶**教育制度の自由主義的改革**，⑷**秘密警察などの廃止**，⑸**経済機構の民主化**の5点です。占領政策は，この五大改革指令をもとに展開されていきますが，この内容については **016-B** で詳しく見ることにします。

幣原内閣のその他のできごとですが，**神道指令**が出されたため，翌1946年に天皇は①**人間宣言**をおこない，自らを神格化しないようよびかけます。

また当時は，戦争に負けたため，日本の通貨の価値が大幅に下落して深刻なインフレーションを引きおこしていました。そこで，**金融緊急措置令**(1946年)を出してインフレーションをおさえようとしましたが，あまりうまくいきませんでした。

❯ 第1次吉田茂内閣

戦後最初の総選挙の結果，第一党になったのが**日本自由党**です。そのため，幣原内閣の次は，日本自由党の**吉田茂**が内閣を組織します。吉田内閣では，1946年に**日本国憲法**が公布され，翌年施行されます。日本国憲法では，天皇は象徴という位置づけとなり，国会を国権の最高機関としました。また，**憲法第9条**では戦争放棄が掲げられることになります。

吉田内閣のときも，日本経済は深刻な状況に陥っていました。そこで，採用

されたのが傾斜生産方式です。②傾斜生産方式では，**鉄鋼・石炭**などの重要産業に対して**復興金融金庫が重点的に融資をおこなう**というスタイルがとられました。しかし，その結果，復興金融金庫が過剰な融資をおこなったことでインフレーションがおこりました。日本経済の復興までの道のりは，遠いものでした。

労働運動の活発化

　このように日本経済が低迷を続けていく中で，盛り上がっていくのが労働運動です。GHQ も労働組合の結成を助長していましたから，労働運動は活発化していきます。1947年には，③**ニ・一ゼネスト**といって**官公庁の労働者による大規模なストライキ計画がおこります**。しかし，GHQ は日本の復興に悪影響をおよぼすなどの理由で，このゼネストに対して**中止指令**を出します。

　また，同年におこなわれた日本国憲法公布後初の総選挙では，**日本社会党**が第一党となりました。

片山哲内閣

　日本社会党が第一党になったため，④**日本社会党**の内閣が結成されます。**片山哲**内閣です。しかし，当時の日本社会党は単独で政権を維持できるほどの議席数を確保していなかったので，**民主党・国民協同党との3党連立内閣**が組織されます。民主党は日本進歩党が改称したもの，国民協同党は日本協同党が改称したものです。

　片山内閣では，**労働省**を設置したり，**民法**を改正して封建主義的な内容を撤廃したり，**警察法**を制定して警察の権限を弱めたりと，社会党らしい政策をおこないました。しかし，社会党の内部対立により，まもなく総辞職します。

POINT

[各政党の変遷]

①1945年：日本自由党（旧・立憲政友会）

②1945年：日本進歩党（旧・立憲民政党）

　　　　→1947年：民主党

③1945年：日本協同党→1947年：国民協同党

④1945年：日本社会党

❯ 芦田均内閣

　続いて成立するのは⑤**民主党**の**芦田均**内閣です。芦田内閣も，片山内閣と同じ構成の3党連立内閣でした。**日本社会党・国民協同党との連立内閣**というわけです。

　このころ，世界では**アメリカとソ連の対立**がはじまっていました。これを**冷戦**といいます。アメリカは，ソ連に対抗するために，日本を**極東**における基地として位置づけはじめます。そのため，日本がソ連寄りに傾くことを極度におそれるようになります。そこで，アメリカ軍が中心で編成されていたGHQは，**政令201号**を発令させて，**公務員のストライキを禁止**します。

　そのような中で，広く政界を巻き込む**疑獄事件**が明るみに出ます。**昭和電工事件**（1948年）です。この事件をきっかけに，芦田内閣はたおれ，その後は日本自由党系の内閣が1990年代まで続きます。

016-B　民主化の諸政策

❯ 女性参政権の付与

　日本の民主化は，さきほど説明した**五大改革指令**に基づいておこなわれます。女性参政権付与は，五大改革指令の1番目の内容でしたね。こうして女性にもようやく**参政権**が与えられることになります。

　まず，**衆議院議員選挙法**を改正し，**満20歳以上の男女すべてに選挙権**を与えます。この結果，有権者は全人口の半分である50%を超えることになりました。そして，1946年には戦後初の**総選挙**で，39名の女性議員が当選しました。

❯ 労働組合の結成奨励

　五大改革指令の2番目の内容は，労働組合の結成を奨励することでした。そこで労働組合の助長のために制定された法律が，1945年の⑥**労働組合法**です。労働組合法では，**団結権・団体交渉権・争議権**が保障されました。その後，**労働関係調整法**（1946年）・**労働基準法**（1947年）が次々に制定されます。これら3つの法律を総称して，**労働三法**といいます。

　また，このころ**労働組合**も結成されていきます。日本社会党系の**右派の団体**

として**日本労働組合総同盟**が，日本共産党系の<ruby>左<rt>さ</rt></ruby><ruby>派<rt>は</rt></ruby>の団体として**全日本産業別労働組合会議**が結成されます。

❯ 教育制度の自由主義的改革

　五大改革指令の3番目の内容は，教育制度の自由主義的改革でした。そこでGHQ は，戦前の国家主義的な教育を改革させようとします。まず，**<ruby>修身<rt>しゅうしん</rt></ruby>・日本歴史・地理**の授業を一時停止します。1946年にはアメリカ教育使節団が来日し，教育制度の<ruby>抜本的<rt>ばっぽんてき</rt></ruby>改革をおこなっていきます。

　そして，⑦**教育基本法**（1947年）・⑧**学校教育法**（1947年）が制定されます。教育基本法では，教育の機会均等・義務教育9年・男女共学が定められます。また，学校教育法では，六・三・三・四制の学校制度が定められました。ほかにも，**教育委員会法**が制定され，都道府県・市町村ごとに**教育委員会**が設けられました。当時，教育委員会の委員は**公選制**，つまり選挙で選ばれていました。

❯ 秘密警察などの廃止

　五大改革指令の4番目の内容は，秘密警察などの廃止でした。終戦と同時に，**戦争犯罪人**とされる容疑者が<ruby>逮捕<rt>たいほ</rt></ruby>されます。戦争犯罪人のうち，平和に対する罪に問われたＡ級<ruby>戦犯<rt>せんぱん</rt></ruby>は，1946年に開かれた**<ruby>極東国際軍事裁判<rt>きょくとうこくさいぐんじさいばん</rt></ruby>**で裁かれます。また，**特別高等警察**や<ruby>治安維持法<rt>ちあんいじほう</rt></ruby>が廃止されました。さらに，戦争に協力した各界の指導者約21万人が**<ruby>公職追放<rt>こうしょくついほう</rt></ruby>**を受けます。

　一方で，戦前に政治犯として逮捕されていた社会主義者・共産主義者は，<ruby>釈<rt>しゃく</rt></ruby><ruby>放<rt>ほう</rt></ruby>されます。

❯ 経済機構の民主化① ── 財閥解体

　五大改革指令の5番目の内容は，経済機構の民主化でした。経済機構の民主化とは，一部の人たちが富を独占している状態をなくそうという動きです。このため，**財閥解体**と農地改革がおこなわれました。

　財閥の解体については，まず，財閥の**資産<ruby>凍結<rt>とうけつ</rt></ruby>**と解体が指令されます。1946年には⑨**<ruby>持株会社整理委員会<rt>もちかぶがいしゃ</rt></ruby>**が発足し，財閥の株式を所有する持株会社や財閥家族の株式が処分されます。さらに翌年，財閥の再結成を防ぐために**独占禁止法**が制定され，独占禁止法を守るための監視機関として**公正取引委員会**が設置されました。

そして，1947年，⑩**過度経済力集中排除法**が出されます。この法律では
325社の分割が指定されましたが，その後にはじまった冷戦と占領政策の転換
（▷p.178）により，実際に分割されたのは11社にとどまりました。

❷ 経済機構の民主化② —— 農地改革

　経済機構の民主化でおこなわれた政策は，もう1つありました。それが農地
改革です。**農地改革**とは，地主の土地を小作人に売り渡すことによって**寄生
地主制**をなくしていこうという改革です。

　まず，GHQから1945年に**農地改革指令**が出され，翌年に第一次**農地改革**が
おこなわれます。第一次農地改革では，**農地調整法**を改正し，不在地主の小作
地の保有を認めませんでした。しかし，在村地主の小作地保有を5町歩まで認
めたため，「これでは寄生地主制がなくならない」とGHQが抗議します。

　そこで，翌1947年，第二次**農地改革**がおこなわれます。第二次農地改革では，
自作農創設特別措置法を出し，より徹底した農地改革をおこなっていきます。
在村地主の小作地の保有限度は1町歩まで引き下げられ，土地の譲渡方法も国
家が強制的に買い上げる方式にします。また，農地改革の実務をおこなう**農地
委員会**の構成比も，小作人に有利になるように変更します。

	1946年　第一次農地改革	1947年　第二次農地改革
内閣	**幣原喜重郎**内閣	第1次**吉田茂**内閣
法改正	**農地調整法**を改正した	**自作農創設特別措置法**を制定 農地調整法を再改正した
不在地主	小作地の保有は認められず	小作地の保有は認められず
在村地主	小作地保有は**5**町歩まで	小作地保有は**1**町歩まで ↳北海道は4町歩まで
譲渡方法	地主・小作間の協議売買	国家が強制買い上げして，小作人へ売却
農地委員会 の構成比	地主：自作農：小作農 5　：　5　：　5	地主：自作農：小作農 3　：　2　：　5

▲第一次農地改革と第二次農地改革の比較

問題1

占領期における日本の社会や文化の説明として**誤っているもの**を，次の①～④のうちから一つ選べ。

① 占領軍によって，軍人や政治家など戦争中の責任を問われた人物が公職から追放された。

② アメリカ教育使節団の勧告に基づき，教育の機会均等をうたった教育基本法が制定された。

③ 戦時期の抑圧的な風潮が継続し，明るくのびやかな歌謡曲は日本政府によって規制された。

④ 日本政府による言論統制が解かれ，政治批判を含む言論がさかんになる一方で，占領政策に対する批判は禁止された。

解説

③が誤りであると判断することもできますが，消去法で正解させることも可能です。

③ ✕ 占領期は，GHQ による民主化政策がおこなわれました。民主化を抑制するような「抑圧的な風潮」を打破していこうと考えていたので，この選択肢は誤りとなります。

① ◯ 公職追放とは，軍人や政治家などの戦争中の責任を問うて追放したものです。

② ◯ 教育基本法は，教育の機会均等をうたったものです。「アメリカ教育使節団の勧告に基づき」の部分の判断に迷うかもしれませんが，占領軍はアメリカが中心であったため，この選択肢には矛盾がないと考えて正しい選択肢と判断してください。

④ ◯ 占領政策に対する批判は禁止されていました。

解答 ③

問題2

日本の敗戦後の時期におこなわれたことに関して述べた次の文Ⅰ〜Ⅲについて，古いものから年代順に正しく配列したものを，後の①〜⑥のうちから一つ選べ。

Ⅰ　労働者の争議権を保障するため，労働組合法が制定された。
Ⅱ　二・一ゼネストが計画されたが，GHQの指令により中止された。
Ⅲ　日本労働組合総評議会(総評)が結成された。

①　Ⅰ—Ⅱ—Ⅲ　　②　Ⅰ—Ⅲ—Ⅱ　　③　Ⅱ—Ⅰ—Ⅲ
④　Ⅱ—Ⅲ—Ⅰ　　⑤　Ⅲ—Ⅰ—Ⅱ　　⑥　Ⅲ—Ⅱ—Ⅰ

解説

この問題は，年号で解くのではありません。流れがわかっていたら解ける問題です。

まず，Ⅰにあるように労働者の争議権を保障するために労働組合法が制定されました。すると，日本労働組合総同盟(総同盟)や全日本産業別労働組合会議(産別会議)といった労働組合が結成されますが，一方で，労働運動は過激化していき，Ⅱの二・一ゼネストが計画されるようになります。これをGHQは中止するよう指令します。そのような流れを受けて，Ⅲの日本労働組合総評議会(総評)が結成されるのです。

Ⅲは登場していませんが，日本労働組合総同盟(総同盟)や全日本産業別労働組合会議(産別会議)ではないことと，戦前の労働団体でもないことから，Ⅱの後の時代ではないかと連想でき，Ⅰ→Ⅱ→Ⅲの順となります。

解答　①

17 冷戦と日本の独立

冷戦の開始と講和

内閣・政党	政治・経済	社会・外交
第2次 **吉田茂** （民主自由党）	1948年：①**経済安定九原則** ●財政再建をめざす	1948年：**国家公務員法**改正 ●国家公務員のストライキを 　禁止
第3次 吉田茂 （民主自由党） ↓ （自由党）	■1949年： 　②**ドッジ=ライン** ●**超均衡予算** ●単一為替レートの採用 ●**1ドル＝360円** ■1949年：③**シャウプ勧告** ●所得税中心の税制改革 ■1950年：④**特需景気** ●繊維・金属を中心 ■1950年：⑤**警察予備隊** ■1951年：**日本社会党**分裂 ●右派と左派に分かれる ■1952年： 　「血のメーデー事件」 ■1952年：**破壊活動防止法** ●極左・極右の取り締まり ■1952年：**保安隊**の設置 ●警察予備隊が改称した	■1949年：国鉄三大怪事件 ●下山事件（東京都） ●三鷹事件（東京都） ●松川事件（福島県） ■1950年：**レッドパージ** ●日本共産党員の弾圧 ■1950年：**公職追放**の解除 ■1950年：**朝鮮戦争**の勃発 ■1951年：⑥**サンフランシ** 　**スコ平和条約** ●日本全権：吉田茂 ●48か国と調印 ■1951年： 　⑦**日米安全保障条約** ■1952年：⑧**日米行政協定** ●日本は米軍に基地を提供 ■1952年：**IMF**に加盟 ●**IBRD**に加盟 ■1952年：**日華平和条約** ■1952年：**日印平和条約**

017-B 55年体制

内閣・政党	政治・経済	社会・外交
第5次 **吉田茂** （**自由党**）	■**1954年：警察法**改正 ●自治体警察の廃止 ●警察庁を頂点とする ■**1954年：防衛庁**設置 ← 　**自衛隊**発足 ●MSA協定に基づく	■**1953年**：朝鮮戦争の終結 ●**板門店**_{はんもんてん}で休戦協定 ■**1953年**：奄美_{あまみ}群島の返還 ■**1954年**：**第五福龍丸**_{ふくりゅうまる}事件 ■**1954年：MSA協定** ●日本が経済援助を受ける代わりに，防衛力増強を約束
_{はとやま} **鳩山一郎** （**日本民主党**） ↓ （**自由民主党**）	■**日本民主党**内閣 ●憲法改正・再軍備を主張 ■**1955年**：「**春闘**_{しゅんとう}」の開始 ■**1955年：日本社会党**が再統一 ●改憲_{かいけん}阻止_{そし}を目的とした ●委員長は鈴木茂_も三郎_{さぶろう} ■**1955年**：保守合同 ●日本民主党と自由党 ●自由党総裁_{そうさい}は緒方竹虎_{おがたたけとら} 　→**55年体制**がスタート ■**1956年：教育委員会法**改正 ●公選制から**任命制**	■**1955年**：砂川_{すながわ}事件（東京都） ■**1955年**：第1回**原水爆禁止**世界大会 ■**1955年**：⑨神武_{じんむ}景気_{けいき}（～57年） ●戦前のGNPを超えた ●米が大豊作となった ●**経済白書**（1956年） 　「**もはや戦後ではない**」 ■**1955年**：GATTに加盟 ●関税と貿易に関する一般協定 ■**1956年**：⑩日ソ共同宣言 ■**1956年：国際連合**に加盟
_{たんざん} **石橋湛山** （**自由民主党**）	短命内閣	

これだけ！ワード（共通テストの用語選択で出る語句）────→ ①**小田原**

これだけ！プチ（共通テスト重要語句）────→ **塵芥集**

これだけ！フレーズ（共通テスト正誤判断のカギとなるフレーズ）→ 北条氏

☞ひとこと！アドバイス（得点アップのワンポイント）────→ ☞分国法

例

これだけ！ボイス

2217

017-A　冷戦の開始と講和

🖊 日本の独立までの流れに注目！

　今回は，GHQ に占領されていた日本がどのようにして独立していくか，そして，55 年体制がどのように成立したのか，解説をしていきます。

▶ 冷戦と占領政策の転換

　第2次**吉田茂**内閣の成立したころ，世界ではすでに**冷戦**がはじまっていました。前回の講義でも扱いましたが，冷戦とは**アメリカとソ連**の対立です。

　冷戦がはじまると，アメリカを中心とした GHQ は占領政策を転換していきます。冷戦以前は，日本に国力をつけさせないような政策をとっていました。日本に国力をつけさせると再び戦争をおこすという理由からです。

　しかし，冷戦がはじまり，中国国内でおこっていた内戦の結果，共産主義国家である**中華人民共和国**が成立すると，極東地域における日本の重要性が高まってきました。アメリカはソ連や中華人民共和国に対抗するため，日本に国力をつけさせようと考えるようになります。この結果，アメリカ主導型の日本経済再建プログラムがつくられるようになるわけです。

▶ 経済再建策

　最初におこなわれたのが，第2次**吉田茂**内閣の①**経済安定九原則**（1948年）です。これは，日本の財政再建をめざした GHQ による指令です。そして，翌年，第3次吉田内閣のときには，**ドッジとシャウプ**という2人のアメリカ人が来日して，日本の経済再建へのシナリオを立てていきます。

　②**ドッジ＝ライン**では，赤字を許さない**超均衡予算**を実施させることによって，財政支出を大幅に減らしました。また，**1ドル＝360円**の単一為替レートを導入することによって，日本経済の安定をはかります。

　③**シャウプ勧告**による税制改革では，**所得税**を中心とした直接税中心主義や，累進所得税制が採用されました。所得が高いほど税率が高くなります。

❯ レッドパージ

1948年，**国家公務員法**が改正され，**国家公務員のストライキが全面的に禁止**になります。この改正に反対しておこったのが，翌年の，国鉄での**下山事件**（東京都），**三鷹事件**（東京都），**松川事件**（福島県）という3つの事件です。国鉄のトップである総裁が変死したり，列車が転覆したり脱線したりする事件です。これを**国鉄三大怪事件**といいます。

この3事件を日本共産党と国鉄の労働組合の仕業と判断した政府は，共産党員の弾圧をおこないます。これを**レッドパージ**といいます。また，同時に**公職追放**（▷p.172）を解除するのもこの時期です。

❯ 朝鮮戦争

1950年，南北に分断されていた朝鮮半島で戦争がおこります。**朝鮮戦争**です。朝鮮戦争の結果，需要が増え，日本は繊維・金属を中心に④**特需景気**がはじまります。前年に実施されたドッジ＝ライン，シャウプ勧告もあいまって，**日本の経済は再建への道を加速**させていきます。

また，朝鮮戦争に兵隊を派遣するため，日本におく占領軍の数を減らしたいと思っていた GHQ は，日本に対して自衛のための組織をつくることを要求します。その結果，できたのが⑤**警察予備隊**です。

❯ サンフランシスコ平和条約

アメリカは日本の独立を急がせます。米ソ対立が深刻化した場合に備えて，日本を独立させておこうというわけです。その結果，**1951年に⑥サンフランシスコ平和条約**が締結されます。吉田首相が全権としてサンフランシスコに赴き，48か国とサンフランシスコ平和条約を締結します。

しかし，この独立はアメリカの都合を優先させた独立です。そのため，ソ連やポーランドなどの東欧の社会主義の国々が調印を拒否します。この講和会議には，インドやビルマ（現在のミャンマー）などが不参加，中華人民共和国と中華民国はどちらも招かれないといったもので，これを資本主義諸国とだけの**単独講和**であると非難する人が多く出てきました。

また，このサンフランシスコ平和条約の締結の是非をめぐって，**日本社会党**は右派と左派に分裂してしまいます。

🔵 日米安全保障条約

　サンフランシスコ平和条約締結と同じ日に，日本は⑦**日米安全保障条約**を締結します。これは，日本の独立後も米軍が日本の領土を使用することを合法化する条約です。翌年には，日本が米軍基地を無償で提供することを定めた⑧**日米行政協定**が結ばれ，この協定に基づいて米軍基地が建設されていきます。このような動きに対して，内灘(石川県)・砂川(東京都)などで**アメリカ軍基地反対闘争**がおこっていきます。

🔵 独立の達成

　サンフランシスコ平和条約の翌1952年，日本は独立を達成します。独立した日本は，**IMF**(**国際通貨基金**)や**IBRD**(**世界銀行**)に加盟し，世界の一員となっていきます。また，1952年には，サンフランシスコ平和条約に参加しなかった国々とも平和条約を締結していきます。中華民国とは**日華平和条約**を，インドとは**日印平和条約**を，ビルマとは**日ビルマ平和条約**を締結します。

　警察予備隊は**保安隊**に改称され，同時に**海上警備隊**も発足します。また，皇居前広場でメーデーをおこなっていた人たちが暴徒化し，多数の死者を出した「**血のメーデー事件**」(1952年)をきっかけに，**極左・極右勢力**を取り締まることを決めた**破壊活動防止法**が制定されます。

年	世界の情勢		日本の情勢
1946年	冷たい戦争(冷戦)	チャーチルの「鉄のカーテン」演説 インドシナ戦争勃発	食糧メーデー
1947年		トルーマン=ドクトリン発表 マーシャル=プラン発表	二・一ゼネスト中止 日教組結成
1948年		ソ連が東西ベルリンの交通遮断	国家公務員のストライキ禁止
1949年		北大西洋条約機構(NATO)成立 中華人民共和国成立	ドッジ=ライン シャウプ勧告
1950年		朝鮮戦争勃発	レッドパージ 警察予備隊創設
1951年		サンフランシスコ講和会議	日米安全保障条約調印

▲第二次世界大戦後の世界と日本(1946〜51年)

017-B 55年体制

▶ アメリカとの協調

　朝鮮戦争は，1953年に板門店で休戦協定が結ばれ，休戦という形をとります。日本では，1954年に警察法が改正されます。これにより，従来の「自治体警察」とよばれる力の弱い警察組織を廃止し，警察庁を頂点とする強い警察組織へと様変わりしていきます。

　また，同年には，アメリカから経済援助を受ける代わりに，日本が防衛力を徐々に増やしていくことを約束したMSA協定に調印します。

▶ 自衛隊の発足

　MSA協定に基づいて，日本は防衛力を強化します。従来の保安隊と警備隊を合併させ，陸・海・空の3隊からなる自衛隊を1954年に発足させ，監督官庁として防衛庁を設置します。

　同年，太平洋のビキニ環礁におけるアメリカの水爆実験で被爆した第五福龍丸の乗組員が死亡する第五福龍丸事件がおきます。この事件を契機に，原水爆に対する反対運動が世界的に盛り上がっていきます。翌1955年には，原水爆禁止世界大会が，世界最初の被爆地である広島でおこなわれました。

▶ 鳩山一郎内閣の成立

　吉田内閣は，当時の自由党幹事長を巻き込んだ贈収賄事件をきっかけに，退陣します。

　そして，「反吉田」を掲げた鳩山一郎が，日本民主党を組織して内閣を成立（1954年）させます。吉田茂の親米路線に対する反発です。鳩山一郎は親米路線から脱却するために，日本も軍隊を持つべきだと考えます。憲法を改正して再軍備をしようと主張するのです。

❯ 55年体制の成立

　憲法改正に反発するのが日本社会党です。サンフランシスコ平和条約締結を
きっかけに右派と左派に分裂していた**日本社会党**は，憲法改正を阻止するた
め，再統一を果たします。

　一方，勢力を拡大した日本社会党に対抗するために，**日本民主党**も**自由党**
と合同します。これを**保守合同**といいます。保守合同の結果，**自由民主党**が
結成されます。

　この後，およそ40年にわたって，自由民主党と日本社会党の二大政党が並
立する時代を迎えます。これを**55年体制**といいます。

❯ 神武景気と経済成長

　当時の日本は，⑨**神武景気**という好景気を迎えていました。1955年には米
が大豊作となったために食糧難からも解放され，日本経済は戦前の GNP（国民
総生産）の水準を超えるところまで成長しました。

　1956年の経済白書には「もはや戦後ではない」と記され，戦後の苦しい状
態から，国民はやっとのことでぬけ出せるところまできました。

❯ 国際社会への復帰

　また，鳩山一郎は吉田茂の親米路線から脱却するために，「自主外交」をうた
い，ソ連との国交回復にも積極的に取り組みました。その結果，1956年には
⑩**日ソ共同宣言**が締結され，ソ連との国交は回復されました。

　しかし，**北方領土問題**について，ソ連は択捉島・国後島については解決済み
とし，色丹島・歯舞群島については平和条約締結後に持ち越すという態度をと
り，北方領土返還は遠いものとなりました。

　ソ連と国交を回復した日本は，同年末には**国際連合**に加盟することができ
るようになりました。今までは日本の国連加盟にソ連が反対し続けていたため，
日本は加盟できなかったのです。

　また，鳩山内閣では，今まで公選制であった教育委員会の委員が任命制に変
わったこともおさえておいてください。☝教育史はセンター試験頻出のテーマ
でしたが，共通テストでもねらわれます。

POINT

[吉田茂内閣]（親米路線）

① サンフランシスコ平和条約→日本の独立

② 日米安全保障条約→冷戦下で西側陣営に

[鳩山一郎内閣]（「自主外交」）

① 日ソ共同宣言→ソ連との国交回復

② 国際連合加盟→ソ連が承認したため実現

📋 共通テスト演習問題 17

問題

　日本は，@サンフランシスコ平和条約の締結によって1952年に独立を回復した。そして，1956年には国際連合に加盟するなど，国際社会への復帰を果たしていった。

問1　下線部@に関して述べた次の文X・Yの正誤の組合せとして正しいものを，下の①〜④のうちから一つ選べ。

　X　この条約では，ソ連など社会主義諸国も含めた全面講和が実現した。

　Y　この条約で，日本は朝鮮の独立を承認し，台湾・南樺太・千島列島を放棄した。

① 　X—正　　　Y—正

② 　X—正　　　Y—誤

③ 　X—誤　　　Y—正

④ 　X—誤　　　Y—誤

問2 次のグラフを参考にして，占領期の物価動向について述べた文として正しいものを，下の①〜④のうちから一つ選べ。

東京の小売物価指数

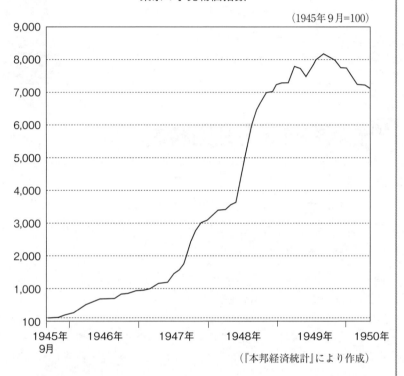

(1945年9月=100)

（『本邦経済統計』により作成）

① 1948年後半までの激しい物価上昇を招いた要因の一つは，朝鮮戦争にともなう特需の発生であった。

② 政府は金融緊急措置令を出したが，猛烈なインフレーションをくいとめることはできなかった。

③ 1949年に入って物価騰貴がおさまったのは，この年から傾斜生産方式が採用され，生産が回復に向かったためであった。

④ 敗戦直後に米穀配給制度が廃止されたため，都市住民の農村への買い出しが激増し，農産物価格の騰貴を招いた。

解説

問1

X　サンフランシスコ平和条約では，ソ連などの社会主義諸国が調印していないため，「単独講和」といわれました。「全面講和」ではないので，誤りです。

Y　日本は終戦時ではなくサンフランシスコ平和条約で朝鮮の独立を承認し，台湾・南樺太・千島列島を放棄しました。よって，この選択肢は正しいとなります。

解答　③

問2

①の朝鮮戦争は，1950年におこったできごと。1948年後半までの物価上昇を招いた原因にはなりません。朝鮮戦争については，年号まで暗記しておく必要はありませんが，1950年代であることはおさえておきましょう。③の傾斜生産方式は復金インフレとよばれるインフレーションを引きおこしたため，誤り。④の農産物価格の騰貴は，食糧難が原因であって，「都市住民の農村への買い出し」が原因ではないため誤り。正解は②となります。金融緊急措置令（▷p.169）はインフレーションをおさえるために出されましたが，あまり効果がありませんでした。

解答　②

18 高度経済成長と日本

018-A 安保体制と高度経済成長

内閣	政治	経済・外交
①岸 （きし） 信介 （のぶすけ）	■安保改定の日米交渉開始（あんぽかいてい） ■安保改定阻止国民会議（そし） ●日本社会党が中心となる ■1960年 ●民主社会党の成立 ●安保条約の批准（ひじゅん） 　衆議院：**強行採決**された 　参議院：**自然成立**となった →**60年安保闘争**がおこった（あんぽとうそう）	■1957年：なべ底不況（ぞこふきょう） ■1958年：②**岩戸景気**（いわとけいき） （〜61年） ■1960年 ●三井鉱山三池炭鉱争議（みいけたんこう） →組合側が敗北した ●沖縄祖国復帰協議会 ●③日米相互協力及び安全保障条約（新安保条約）
④池田 （いけだ） 勇人 （はやと）	■「**寛容と忍耐**」（かんよう　にんたい） ●革新勢力との対立を避けた ■1960年：「**所得倍増**」をスローガンにした経済政策 ●**高度経済成長**政策の開始 ■1961年：**農業基本法** ●農業の近代化が目的 ■1964年 ●**東海道新幹線**の開通 ●**オリンピック東京大会**	■1962年：日中で準政府間貿易（LT貿易） ●「**政経分離**」の方針による（せいけいぶんり） ■1963年 ●**オリンピック景気**（〜64年） ●**GATT**11条国移行（ガット） 国際収支を理由に**輸入制限**ができない ■1964年 ●⑤**IMF8条国**に移行 国際収支を理由に為替管理を（かわせ）おこなえない ●⑥**OECD**加盟 資本の自由化が義務づけられる

018-B 高度経済成長のひずみと国際社会

内閣	政治	経済・外交
⑦佐藤栄作 （えいさく）	■1964年：公明党結成 ■1967年 ●非核三原則（ひかくさんげんそく）：「もたず・つくらず・もち込ませず」 ●⑧公害対策基本法 ■1968年 ●文化庁が設置された 琉球政府（りゅうきゅう）の主席公選 　屋良朝苗（やらちょうびょう）が当選した ■1970年 ●沖縄で戦後初の国政選挙 ●日本万国博覧会（ばんこくはくらんかい）（大阪府） ■1971年 ●沖縄返還協定 ●環境庁の設置 ■1972年 ●沖縄が返還された	■1965年 ●ベトナム戦争が本格化 アメリカの北爆（ほくばく）がきっかけ ●⑨日韓基本条約：韓国との国交正常化 ■1966年：⑩いざなぎ景気 （〜70年） ■1968年 ●小笠原諸島返還協定（おがさわら） ●GNPが資本主義国で第2位に ■1969年：佐藤・ニクソン会談 ●日米共同声明が発表された ■1970年：新日米安全保障条約 →自動延長された ■1971年：ニクソン＝ショック ●金とドルの交換停止 ●1ドル＝308円（円切上げ）

四大公害訴訟（よんだいこうがいそしょう）

●水俣病（みなまたびょう）（熊本県）
●イタイイタイ病（富山県・神通川流域（じんづう））
●新潟水俣病（新潟県・阿賀野川流域（あがの））
●四日市ぜんそく（よっかいち）（三重県）

いずれも原告（被害者）側が勝訴（しょうそ）した

これだけ！ワード （共通テストの用語選択で出る語句） ──→ ①小田原
これだけ！プチ （共通テスト重要語句） ──→ 塵芥集
これだけ！フレーズ （共通テスト正誤判断のカギとなるフレーズ）─→ 北条氏
🖑ひとこと！アドバイス （得点アップのワンポイント） ──→ 🖑分国法

例

これだけ！ボイス

2218

018-A　安保体制と高度経済成長

🔊 **高度経済成長を中心に！**
　今回は1960年代の政治です。高度経済成長の日本について
は頻出する分野ですので，しっかり頑張りましょう。

▶ 安保改定問題 —— 岸信介内閣

　まずは，日米安全保障条約を改定した①**岸信介**内閣からはじめましょう。
安保改定の日米交渉がはじまるのは，岸内閣のときです。この改定交渉に対す
る反発から**安保改定阻止国民会議**が結成されました。国内では安保改定に反対
する動きが高まっていきますが，岸首相はアメリカに赴き，アイゼンハワー大
統領と1960年に③**日米相互協力及び安全保障条約**（**新安保条約**）を締結し
ます。

　新安保条約では，アメリカの**日本防衛**義務が明確にされ，在日米軍の軍事行
動の際の**事前協議制**や，日本および在日米軍基地への攻撃に対する**共同行動**な
どが定められていました。

　安保改定は多くの国民の反対をおし切る形で締結されたので，安保改定反対
の国民運動（**60年安保闘争**）が盛り上がってきます。この動きに対して岸内閣
は，**衆議院では強行採決，参議院では審議をおこなわず自然成立**という形でこ
の条約を批准します。そして，条約の発効を見届けたうえで，岸内閣は混乱の
責任をとって総辞職します。

POINT

［**日米相互協力及び安全保障条約**］(1960年)
岸信介首相・アイゼンハワー大統領
① アメリカの日本防衛義務
② 在日米軍の軍事行動に関する事前協議制
③ 日本および在日米軍基地への攻撃に対する共同行動
④ 条約期限は10年間

❷ 岩戸景気

国内の経済では，一時的には**なべ底不況**という状況がありましたが，まもなく②**岩戸景気**がおこります。また，**石炭から石油へのエネルギー革命**がおこったのも，このころです。石炭業界の業績が低迷していき，**三井鉱山三池炭鉱**では従業員が大量解雇されました。この解雇に反発して**三池争議**がおこりますが，組合側の敗北で終わってしまいます。

❷ 「所得倍増」計画 —— 池田勇人内閣

岸内閣の後を受けたのが，④**池田勇人**内閣です。岸内閣のときにおこった安保反対の動きは，まだおさまっていません。そこで池田は「**寛容と忍耐**」をスローガンに，革新勢力との対立を避ける政策をとります。

そして，国民の支持を回復すべく，「**所得倍増**」をスローガンにした，日本経済の発展を計画します。**高度経済成長**によって，国民の所得を倍増させようという計画です。

この計画を実現させるために，池田はまず**農業基本法**を成立させ，農業の機械化などへの支援をおこないます。農作業を効率化することによって，農家の収入の増加をはかるわけです。

❷ 先進国の仲間入り

池田はまた，「**政経分離**」の方針に従い，当時国交のなかった**中華人民共和国**との間で**準政府間貿易**をおこないます。この貿易を，当時の担当者（高碕達之助・廖承志）の頭文字をとって，**LT貿易**といいます。

池田内閣は，日本の経済を支えていた中小企業に対して，さまざまな支援策を打ち出していきます。このため，1963年からは，翌年に開催される**オリンピック東京大会**も追い風となって，**オリンピック景気**の時代を迎えることになります。東京オリンピックの年には，移動の手段として**東海道新幹線**も開通します。

景気のよくなった日本は，先進国の仲間入りも果たしていきます。まず，1963年，**GATT11条国**に移行しました。これにより，国際収支を理由に**輸入制限**ができなくなります。また，1964年には⑤**IMF8条国**に移行し，国際収支を理由に為替管理をおこなえなくなりました。また，⑥**OECD**に加盟することによって，資本の自由化が義務づけられます。

高度経済成長のひずみと国際社会

日韓基本条約と非核三原則 —— 佐藤栄作内閣

池田内閣の次は，⑦佐藤栄作内閣です。👆佐藤内閣では，外交が重要となります。まず，佐藤内閣は韓国との国交を正常化します。1965年の⑨日韓基本条約です。さらに，小笠原諸島返還協定（1968年）と沖縄返還協定（1971年）を実現するのも，佐藤内閣です。

沖縄の返還に際して，佐藤内閣は非核三原則を宣言します。「（核兵器を）もたず・つくらず・もち込ませず」というもので，沖縄返還後，沖縄に核兵器をおかないと宣言するわけです。

1968年には，琉球政府の主席を公選します。その結果，屋良朝苗が当選し，彼が初代沖縄県知事となります。また，1970年には沖縄で初の国政選挙がおこなわれ，衆議院・参議院議員が沖縄からも輩出されることになります。

いざなぎ景気

経済については，1966年から⑩いざなぎ景気という長期にわたる好景気が訪れます。1968年には，日本のGNPが資本主義諸国でアメリカに次いで第2位になります。

また，消費革命がおき，1950年代の「三種の神器」（白黒テレビ・電気洗濯機・電気冷蔵庫）に続いて，3C（カー・クーラー・カラーテレビ）が「新三種の神器」として消費されるようになっていきます。

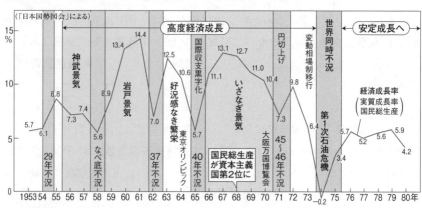

▲日本経済の移り変わり

❯ 公害問題と環境庁の設置

　一方で，高度経済成長のひずみとして，公害問題がおこりました。**四大公害訴訟**，すなわち，熊本県の**水俣病**，富山県神通川流域の**イタイイタイ病**，新潟県阿賀野川流域の**新潟水俣病**，三重県の**四日市ぜんそく**はおさえてください。☞これらの訴訟は，すべて原告(被害者)側の勝訴に終わります。

　また，1967年に⑧**公害対策基本法**が制定され，1971年には**環境庁**(現：環境省)が設置され，公害問題に対して政府も取り組む姿勢を見せていきます。

❯ ニクソン＝ショック

　アメリカはこのころ，ベトナム戦争の真っ最中でした。**ベトナム戦争**は，1965年にアメリカの北ベトナムへの爆撃(北爆)を契機に本格化しました。

　ベトナム戦争による軍事支出の増大や，日本やドイツの対米輸出の増加などにより，アメリカは赤字がふくらんでいました。アメリカのドルへの信頼がゆらぎはじめると，ニクソン大統領はドルを防衛するために，金とドルの交換停止を発表します。それと同時に，日本やドイツのような貿易黒字国の為替レートの切上げを要求しました(**ニクソン＝ショック**)。

　これにより，日本の円は1ドル＝360円から**308円**に**切り上げ**られたのです。

📋 共通テスト演習問題 18

問題1

　1950年代後半から，日本の主要エネルギーは石炭から石油へ転換していった。日本は原油埋蔵量が非常に少ないため，ⓐ世界各地から原油を大量に輸入し，国内で精製することで，石油を確保した。

　下線部ⓐに関連して，日本の原油の主な輸入先と輸入量を示した次の表に関して述べた文a〜dについて，正しいものの組合せを，下の①〜④のうちから一つ選べ。

日本の原油の主な輸入先と輸入量

（単位：万キロリットル）

	1955年	1965年	1975年
中東(A)	643	7,380	20,560
インドネシア	110	613	3,003
中華人民共和国	－	－	921
ソ　連	－	257	8
合計(B)	855	8,360	26,281
Bに占めるAの割合(%)	75.2	88.3	78.2

（三和良一・原朗編『近現代日本経済史要覧　補訂版』により作成）

（注）　合計には，その他の輸入先を含む。

（注）　「－」は輸入がないことを示す。

a　1955年の原油の輸入先には，太平洋戦争中に日本軍が占領していた地域が含まれている。

b　1965年の原油の輸入先は，冷戦下の西側諸国に限られている。

c　1955年と1965年を比べると，中東からの原油輸入量は増加しており，輸入量合計に占める割合も大きくなっている。

d　1965年と1975年を比べると，中東からの原油輸入量は増加しており，輸入量合計に占める割合も大きくなっている。

① a・c　　② a・d　　③ b・c　　④ b・d

【解説】

a　インドネシアは太平洋戦争中に日本が占領していた地域なので，正しいとなります。

b　ソ連は冷戦下の東側諸国のため，誤りとなります。

c　中東からの原油輸入量は643から7,380と激増し，輸入量合計に占める割合も75.2から88.3に上昇しているので，正しいとなります。

d　中東からの原油輸入量は7,380から20,560に増加していますが，輸入量合計に占める割合は88.3から78.2に下がっているので，誤りとなります。

解答　①

問題2

　1960年代には，農家とほかの産業従事者との間の所得格差の是正が求められるようになった。政府は，対策として農業構造の改善を進めたが，その過程は必ずしも順調といえるものではなかった。

　60年代後半に出された農林省『構造政策の基本方針』には，「ⓐ日本経済の飛躍的な成長のさなかに農業基本法が制定されて以来，すでに6年余を経過した。農業労働力の激しい流出，生産性の低い第2種兼業農家の増大により，土地利用率の低下，農作業の粗放化がもたらされ，農業生産の一部には停滞のきざしもみられている」と書かれていた。

　下線部ⓐに関連して，高度経済成長期以降の農村・農業について述べた文として**誤っているもの**を，次の①〜④のうちから一つ選べ。

①　農家は所得水準を上昇させたが，それは農業以外の収入の増加によるところが大きい。

②　アメリカなどの要求にもかかわらず，農産物輸入の自由化が実施されなかったため，食糧自給率が高まった。

③　青年層の離村が激しくなり，農業従事者の老齢化が深刻な問題となった。

④　家電製品や乗用車の普及にみられる消費革命は，農村でも急速に進行した。

解説

　②の農産物輸入の自由化をアメリカが要求するのは，1980年代以降です。仮にこのことがわかっていなくても，高度経済成長期のころは，まだアメリカは強い経済力を維持していたので，日本に対して輸入自由化の要求などはしないだろうと連想できます。

解答　②

19 昭和から平成へ

1970年代の政治

内閣	政治	経済・外交
①田中角栄	■「日本列島改造論」を唱えた ■金脈問題で内閣は退陣	■1972年：②日中共同声明 ●中国の周恩来首相と調印 ■1973年 ●③第4次中東戦争 ●第1次④石油危機（オイルショック） ●⑤変動為替相場制
⑥三木武夫	■1976年 ●⑦ロッキード事件：田中前首相が逮捕される ●新自由クラブ結成	■1974年：GNP（国民総生産）が戦後初のマイナス成長 ■1975年：先進国首脳会議（サミット）開催
福田赳夫	●貿易黒字	■1978年：⑧日中平和友好条約
大平正芳		■1979年 ●イラン革命 ●第2次石油危機 ●東京サミット開催：日本初 ■1979年 ●ソ連がアフガニスタン侵攻（〜80年）

これだけ！ボイス

2219

これだけ！ワード（共通テストの用語選択で出る語句）──────→ ①小田原

これだけ！プチ（共通テスト重要語句）──────────→ 塵芥集

これだけ！フレーズ（共通テスト正誤判断のカギとなるフレーズ）→ 北条氏

☞ひとこと！アドバイス（得点アップのワンポイント）────→ ☞分国法

例

表解板書

019-B　1980年代の政治

内閣	政治	経済・外交
鈴木善幸	●「増税なき財政再建」	■1980年：イラン・イラク戦争
中曽根康弘	■1985年：NTT・JT設立（もと電電公社、もと専売公社） ●男女雇用機会均等法制定 ●首相，靖国神社の公式参拝 ■1986年：防衛費，GNP1％枠を突破 ■1987年：JR設立（もと日本国有鉄道）	■1985年：プラザ合意 ●ドル切下げ断行を決定 ■1986年：円高不況に突入 ■1987年：ルーブル合意 ●ドルの下落をくいとめる ●バブル経済がはじまった
⑨竹下登	●リクルート事件が表面化 ■1989年：昭和天皇が亡くなる	■1987年：中距離核戦力（INF）全廃条約 ■1989年：⑩消費税3％
宇野宗佑	短命内閣	1989年：天安門事件

019-C　1990年代以降の政治

内閣	政治・経済	外交
海部俊樹	●ペルシャ湾への自衛隊派遣 ●バブル経済の崩壊	●マルタ会談（冷戦の終結） ●湾岸戦争の勃発
宮沢喜一	●佐川急便事件 ●PKO協力法の制定	●ソ連の消滅
細川護熙	●非自民8党連立内閣（55年体制の崩壊）	●ウルグアイラウンド妥結（米市場の部分開放）
羽田孜	●新生党	
村山富市	●自民・社会・さきがけの連立	
橋本龍太郎	●自民・社会・さきがけ連立 ■1997年：消費税5％に	●アイヌ文化振興法
小渕恵三	●新ガイドライン関連法	●国旗・国歌法

1970年代の政治

🔊 いよいよ最終講！

　今回でいよいよ最後の講義となります。センター試験では，1980年代までがよく出題されていました。21世紀の内閣については，共通テストが1月に実施されるということから，学校ではまだ習っていないということを考慮して，ほとんど出題されませんが，大まかなところは知っておくとよいでしょう。

▶ 田中角栄内閣① ——「日本列島改造論」

　1970年代の最初の内閣は①**田中角栄**内閣です。田中角栄は「**日本列島改造論**」を唱えます。当時，工業の発展した地域は人口が**過密化**する一方，それ以外の地域は人口の減少が激しく，**過疎化**の問題を抱えていました。そこで，日本列島すべての地域を工業化して，過密・過疎の問題をなくし，日本の経済を格段に発展させていくと主張するわけです。

　また，田中首相は②**日中共同声明**（1972年）を締結し，中華人民共和国との国交も樹立させます。中国の**周恩来**との間で調印します。

▶ 田中角栄内閣② —— 第1次石油危機

　このころ，アメリカの国際収支はますます悪化し，固定相場制が維持できなくなっていました。そして，日本はついに⑤**変動為替相場制**に移行します。それまでの1ドル＝360円とか308円のような固定された為替レートではなく，現在のように毎日，為替レートが変動する体制です。

　また，1973年におこった③**第4次中東戦争**をきっかけに，石油の価格が高騰しました。その結果おこるのが，第1次④**石油危機**（オイルショック）です。ちょうどこのころ，田中首相の「日本列島改造論」によって，土地価格が高騰していました。石油危機と土地価格の高騰のため，日本は**狂乱物価**とよばれるほど深刻なインフレーションに見舞われてしまいます。このような中で，田中首相自らの**金脈**問題によって，田中内閣は退陣しました。

❱ 三木武夫内閣

　続いて登場するのは，⑥**三木武夫**内閣です。田中内閣のときの石油危機と変動為替相場制への移行によって，日本の高度経済成長は終焉（しゅうえん）を迎えます。日本の GNP（国民総生産）は，戦後初の**マイナス成長**となります。

　また，⑦**ロッキード事件**で前首相であった田中角栄が**逮捕**（たいほ）（1976年）されてしまいます。

❱ 福田赳夫内閣

　次の**福田赳夫**（たけお）内閣は，⑧**日中平和友好条約**（1978年）が締結される内閣とおさえておけばよいでしょう。

　☝これ以降の時代については，内閣の名前で覚えるよりも，それが1970年代のできごとか，1980年代のできごとか，1990年代のできごとかを識別できるようにしておけば，大丈夫です。

❱ 大平正芳内閣

　次の**大平正芳**（おおひらまさよし）内閣では，**イラン革命**をきっかけに第2次**石油危機**（1979年）がおこります。また，同年，ソ連の**アフガニスタン侵攻**がはじまります。

　これをきっかけに，アメリカとソ連の関係は再び悪化します。そのため，両国は再び軍備拡張をおこなうことを余儀（よぎ）なくされ，その結果，アメリカやソ連の経済は再び悪化していきます。

POINT

［中国との友好］
① 田中角栄：日中共同声明（1972年）
② 福田赳夫：日中平和友好条約（1978年）

［国際経済の変動］
① アメリカ経済の弱体化→変動為替相場制→円高へ
② 第4次中東戦争→石油危機→高度経済成長の終焉（まさつ）
　　→安定成長へ，欧米諸国との経済摩擦

1980年代の政治

鈴木善幸内閣から中曽根康弘内閣へ

1980年代の最初の内閣は，**鈴木善幸**内閣です。鈴木内閣は「**増税なき財政再建**」を目標とした内閣です。

次は**中曽根康弘**内閣です。☞中曽根内閣の特徴としておさえておきたいのは，**民営化**です。**NTT・JT・JR**という会社が，民営化により誕生します。NTTのもとの名は電電公社，JT は専売公社，JR は日本国有鉄道です。また，**靖国神社に公式参拝**した最初の首相も，中曽根首相です。

円高不況からバブル経済へ

経済については，当時，アメリカの経済が深刻な赤字を抱えていました。そこで，アメリカの景気を回復させようという動きが国際的におこってきます。なぜなら，アメリカの景気がよくならないと，ほかの国の景気もよくならないからです。そこで，**ドルの切下げを断行するプラザ合意**（1985年）をおこないます。

プラザ合意の結果，アメリカの景気はある程度回復します。しかし，円高が一気に進んだことで，日本は輸出が伸び悩み，**円高不況**に陥ってしまいます。

そこで，プラザ合意の2年後に**ルーブル合意**（1987年）がなされます。これ以上のドルの下落は，国際経済にとってよくないということで，ドルの切下げをくいとめるわけです。

このころから，日本は**バブル経済**に突入していきます。

竹下登内閣から宇野宗佑内閣へ

次の内閣が⑨**竹下登**内閣です。竹下内閣のポイントは2つです。まずは，竹下内閣のときに，元号が昭和から平成になります。2つ目は，⑩**消費税**が導入（1989年）されます。最初の税率は**3%**でした。

続く**宇野宗佑**内閣では，消費税に対する国民の反発などから，**参議院で与野党が逆転する**という事態がおこります。参議院では，**日本社会党**の土井たか子が首相の指名を受けます。これにより，**55年体制が崩壊**へと向かいはじめます。

➤ 昭和の文化① —— 学問

ここで，昭和の文化をふりかえっておきましょう。

占領期には，戦前はタブーとされたマルクス主義が復活し，考古学も盛んになります。登呂遺跡や岩宿遺跡の発掘などが積極的におこなわれます。また，1949年の法隆寺金堂壁画の焼損をきっかけに，翌年には**文化財保護法**が出され，伝統的価値のある文化財の保護を法制化しました。

そして，同年，理論物理学者の**湯川秀樹**が日本人ではじめて**ノーベル物理学賞**を受賞します。この年，あらゆる分野の科学者を代表する機関として，日本学術会議も設立されました。🖐ノーベル賞受賞者は，20世紀の人を中心に次の表で何年代の人か識別できるようにしておいてください。

日本人のノーベル賞受賞者（～1999年）			
1940 年代	● 1949年：**湯川秀樹**(物理学)	1980 年代	● 1981年：**福井謙一**(化学) ● 1987年：**利根川進**(生理学・医学)
1960 年代	● 1965年：**朝永振一郎**(物理学) ● 1968年：**川端康成**(文学)	1990 年代	● 1994年：**大江健三郎**(文学)
1970 年代	● 1973年：**江崎玲於奈**(物理学) ● 1974年：**佐藤栄作**(平和)		

➤ 昭和の文化② —— 文学

文学については，戦後，**太宰治**(『斜陽』)や**坂口安吾**(『白痴』)が，社会の常識や既成のリアリズムに挑戦する作品を残しました。大岡昇平(『俘虜記』)や野間宏(『真空地帯』)は，自身の苛烈な戦時体験を西欧現代文学に学んだ斬新な手法で表現して，戦後文学の頂点を築きました。

高度経済成長期になると，**中間小説**といって，純文学と大衆文学の中間に位置する文学がうまれました。社会派推理小説の**松本清張**や，歴史小説の**司馬遼太郎**が，その代表です。また，**三島由紀夫**や**石原慎太郎**など，当時の若者に大きな影響を与える作家も誕生します。

➤ 昭和の文化③ —— 大衆文化

大衆文化では，戦後，歌謡曲がブームとなり，並木路子(「リンゴの唄」)や，美空ひばりなどの歌手が登場します。また，映画も黄金時代を迎え，**黒澤明**や

溝口健二といった映画監督が，世界の映画祭で賞をとりました。

手塚治虫は，本格的なストーリー漫画を創作し，漫画・アニメーション隆盛の基礎をつくりました。1953年には**テレビ放送**も開始し，1960年代半ばまでにほとんどの家庭にテレビが普及しました。

019-C　1990年代以降の政治

❯ 湾岸戦争 ── 海部俊樹内閣

1990年代の最初は，自由民主党の**海部俊樹**内閣です。1989年のできごとですが，海部内閣のときに，**マルタ会談**が開かれて**冷戦**が終結します。ベルリンの壁が崩壊し，東西ドイツが統一したのもこのころです。そして，1991年には**湾岸戦争**が勃発します。湾岸戦争に対して，日本はペルシャ湾に**自衛隊を派遣**することになり，大きな社会問題になります。

続いて登場するのが**宮沢喜一**内閣です。まず，国際情勢については，このころに**ソ連が消滅**します。また，**PKO協力法**案が可決されたことによって，自衛隊の海外派遣が合法化されることになり，1992年にはカンボジアへの自衛隊の派遣がおこなわれました。

❯ バブル経済の崩壊 ── 宮沢喜一内閣

次に，国内について見てみると，**バブル経済が崩壊**し，この後，日本は長い不況の時代に突入していきます。また，佐川急便事件などの贈収賄事件があいついで発覚しました。このため，自由民主党に対する国民の支持が一気に低下します。

また，羽田孜・小沢一郎らが**新生党**を結成するなど，自由民主党の中でも分裂がおこりました。これにより，自由民主党は政権を維持することができなくなってしまい，宮沢内閣はたおれてしまいます。

❯ 55年体制の崩壊 ── 細川護熙内閣

この結果，☝**55年体制**が確立して以来，はじめての自由民主党でない内閣が誕生します。**日本新党**の**細川護熙**内閣です。細川内閣は，自由民主党と日本

共産党を除く8党による連立内閣です。細川内閣は衆議院に小選挙区比例代表並立制を導入する選挙制度改革を実現しましたが，首相の個人的疑惑で退陣に追いつめられます。

　細川内閣に続く**新生党**の**羽田孜**内閣は，日本社会党が連立からの離脱を表明したため，短命で終わってしまいます。

自民党と社会党の連立 —— 村山富市内閣

　続いて登場するのが，**日本社会党**の**村山富市**内閣です。🖐ここに，**55年体制で対決していた自由民主党と日本社会党による連立内閣が誕生したわけです。**社会党は従来の路線を大幅に変更して，安保・自衛隊・消費税などを容認するようになりました。

消費税率引上げ —— 橋本龍太郎内閣

　村山内閣の次も，自由民主党と日本社会党による連立内閣です。**橋本龍太郎**内閣です。橋本内閣のときに，非自民の議員が集結して民主党が結成されます。また，橋本龍太郎は**消費税を5％**に引き上げた首相でもあります。

　この消費税引上げが，ようやく回復してきた日本の景気に，再び水をさすことになりました。大手金融機関の破綻が生じたため，公的資金を注入して金融機関を再生させたり，大規模なリストラによって企業の立て直しをはからなければいけない状況に追い込まれます。

20世紀最後の内閣 —— 小渕恵三内閣

　1990年代の終わりには，**小渕恵三**内閣が成立します。小渕内閣では，**国旗・国歌法**の制定や，有事における**新ガイドライン関連法**などの制定がおこなわれました。しかし，小渕恵三首相の急死により，この内閣は短命に終わります。

21世紀最初の内閣 —— 森喜朗内閣

　次は，いよいよ21世紀の内閣についてです。**21世紀初め**は自由民主党の内閣です。

　森喜朗内閣は，小渕内閣の後をうけて成立しました。この内閣以降は，自民党と公明党との連立政権となります。森喜朗内閣では，**沖縄サミット**が開催されました。しかし，失業率が5％に達したために国民の支持が急落し，この内

閣も短命に終わります。

● 「聖域なき構造改革」── 小泉純一郎内閣

　次の内閣は，**小泉純一郎**内閣です。小泉純一郎内閣のスローガンは「聖域なき構造改革」ということで，**郵政民営化**など数々の改革を実現しました。

　これにより，「**失われた10年**」とよばれた不況の時期を，一時的に脱出することに成功しました。しかし，その一方で，福祉政策が後退したり地方経済が疲弊したりなどといった，所得格差や地域格差が拡大しました。

　また，朝鮮民主主義人民共和国との**国交正常化**交渉をおこなったのも，この内閣です。

● 「美しい国」づくり ── 安倍晋三内閣

　次に登場する内閣は，**安倍晋三**内閣です。「美しい国」づくりをめざして，防衛庁を**防衛省**に変更したりしました。

　しかし，参議院選挙で自由民主党が大敗した結果，自由民主党が参議院で過半数がとれないという「**ねじれ現象**」がおこることになり，自由民主党が政権から転落する第一歩となりました。

● 短命な民主党内閣から再び安倍晋三内閣へ

　その後，自民党の**福田康夫**内閣・**麻生太郎**内閣と短命政権が続き，ついに野党である民主党を中心とした**鳩山由紀夫**内閣が誕生します。

　民主党内閣は3人の総理大臣を輩出しました。鳩山由紀夫，**菅直人**，**野田佳彦**です。菅直人内閣のときには東日本大震災がおこり，それらの対応のまずさや急速な円高による不況などをきっかけとして，民主党政権は終わりを告げました。

　そして，2010年代には安倍晋三内閣の長期政権となるわけです。

共通テスト演習問題 19

問題

　第二次世界大戦後の日本と国際社会の関係について述べた次の文章を読み，以下の問いに答えよ。

　戦後の日本経済は，1950年代後半以降，技術革新や@エネルギー革命をともないつつ高度成長をとげるとともに，経済の面での国際社会との関わりも深まった。貿易や資本の自由化が進む一方，1973年の ア をきっかけにおこった イ のように，日本の経済や社会が世界経済の動向から大きな影響を受けるようになった。

問1　下線部@に関連して，戦後の日本のエネルギー供給の変化を示す次のグラフについて説明した文として正しいものを，下の①〜④のうちから一つ選べ。なお，グラフ中のⅠ〜Ⅲは，石油，石炭，原子力のいずれかを示している。

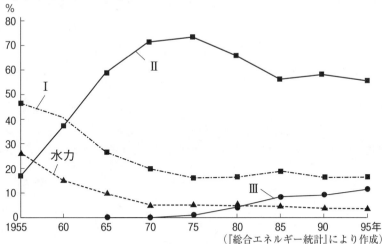

（『総合エネルギー統計』により作成）

①　主要なエネルギーがⅠからⅡに転換する中，三池争議がおきた。

②　Ⅰの供給確保のために，池田勇人内閣は列島改造論を発表した。

③　Ⅱは，1960年代初頭まではもっぱら国内で産出された。

④　Ⅲを利用した発電所の建設をきっかけに，公害対策基本法が制定された。

問2 空欄 ア イ に入る語句の組合せとして正しいものを，次の
①～⑥のうちから一つ選べ。

① ア　ベトナム戦争　　　　　イ　石油危機
② ア　第4次中東戦争　　　　イ　貿易摩擦
③ ア　イラン・イラク戦争　　イ　石油危機
④ ア　ベトナム戦争　　　　　イ　貿易摩擦
⑤ ア　第4次中東戦争　　　　イ　石油危機
⑥ ア　イラン・イラク戦争　　イ　貿易摩擦

解説

問1　①の選択肢の「主要なエネルギーがⅠからⅡに転換」したことは，グラフか
ら読み取れます。したがって，Ⅰが石炭，Ⅱが石油であることがわかり，Ⅲ
が原子力ということになります。三池争議は，エネルギーが石炭から石油
に転換したのがきっかけでおこったので，①が正解。②の「列島改造論」は石
炭の確保とは無関係なだけでなく，田中角栄内閣のおこなったことなので
誤り。③の石油については，日本は戦後はもっぱら輸入に頼っていたため誤
り。④の原子力が社会問題化するのは，1980年代以降のことであり，公害
対策とは無関係。

解答　①

問2　1973年の第4次中東戦争がきっかけで石油危機がおこったため，⑤が正解。

解答　⑤

歴史総合の窓

世界のできごとは，同時代の日本を意識しながら確認しましょう。

1 分断する世界（ドイツ・ベトナム・インド）

日本 ▷ **016-A** 〜 **019-A** ／占領下〜日中共同声明のころ

　第二次世界大戦に敗北した**ドイツ**は，東西に分断されます。ドイツの西側は資本主義のドイツ連邦共和国（**西ドイツ**），東側は社会主義のドイツ民主共和国（**東ドイツ**）がそれぞれ成立します。ベルリンも東西に分けられました。その結果，西ベルリンは東ドイツの中にある「飛び地」のようになってしまいます。

　ベトナムは，1945年に**ホー＝チ＝ミン**がベトナムの北側に，ベトナム民主共和国を成立します。しかし，これに**フランス**が反対します。フランスはベトナムをもう一度支配しようと狙い，インドシナ戦争がはじまります。ベトナムの南側にはフランスの傀儡国家であるベトナム国が建国されますが，1954年にフランスが撤退し，フランスの負けが確定します。

　しかし，ここで間に割って入ってくるのが**アメリカ**です。ベトナムの南部に建国されたベトナム共和国を支援するのです。こうして，ベトナムも南北に分断されることとなるのです。

　インドは，ヒンドゥー教徒の多い地域には**インド連邦**が，イスラーム教徒の多い地域には**パキスタン**が建国されました。仏教徒の多い地域にはセイロン（現スリランカ）が建国されました。

　インドとパキスタンは，インド北部のカシミール地方をめぐって戦争をします。1960年代になると，ここに中華人民共和国が割って入り中印国境紛争に発展します。

　1970年代に入ると，東パキスタンがパキスタンからの独立を試みます。この独立をインドが支援し，第3次インド＝パキスタン戦争が勃発。戦争はインドが勝利し，東パキスタンが独立，バングラデシュが誕生するのです。

2 核軍縮への動き

日本 ▷ **017-A** 〜 **018-B**
ドッジ＝ライン〜小笠原返還のころ

　第二次世界大戦が終わると，アメリカを中心とした**資本主義陣営**（西側陣営）と，ソ連を中心とした**社会主義陣営**（東側陣営）の対立が始まります。**冷戦**です。

　1949年には，アメリカに続いてソ連が原爆の開発に成功，1952年にはイギリスも原爆の開発に成功しますが，アメリカは同じ年に原爆よりも強力な**水素爆弾**を開発。翌年にはソ連も水素爆弾を開発しました。

　1954年，**ビキニ環礁**でアメリカが水爆実験をおこない，**第五福龍丸**という日本の漁船が被爆しました。この事件をきっかけに，核開発競争は原子力発電の開発に舵を切りました。アメリカ大統領のアイゼンハワーは，核の技術を平

和的に活かす方法を考えるべきであると提唱。1955年には，被爆地である広島で**第1回原水爆禁止世界大会**が開かれました。

　1960年になると，**フランス**が原爆の開発に成功します。アメリカ・イギリス・ソ連は，地下実験を除く**部分的核実験停止条約**を締結します。

　1964年には，**中国**が原爆の開発に成功します。すると，アメリカ・イギリス・ソ連は**核拡散防止条約**を締結，核兵器を保有していた5か国以外は核兵器を保有できなくなりました。

3 「雪どけ」

日本▷ 017-B ～ 018-A
55年体制～日米新安保条約のころ

　1953年，スターリンの死をきっかけに，平和的な共存を目指そうという考えが生まれます。これを「雪どけ」といいます。1955年には，アメリカなどとソ連が同じテーブルにつく，ジュネーヴ4巨頭会談が開催されます。

　しかし一方で，1955年，西ドイツが**北大西洋条約機構（NATO）**に加盟します。NATOとは，アメリカを中心とした西側陣営の集団防衛体制のことです。これに危機感を抱いたソ連を中心とする東側陣営は，**ワルシャワ条約機構**を結成して対抗します。

　しかし，平和共存の動きは進みます。1956年，ソ連のフルシチョフがスターリン批判をおこない，コミンフォルムを解散させるのです。このことをきっかけに，中華人民共和国とソ連との関係は悪化します。毛沢東が，スターリンと似た独裁体制を敷いていたためです（**中ソ対立**）。

　米ソ関係は改善されるかに見えました。しかし1960年，アメリカの偵察機がソ連に撃墜される事件がおこり，翌1961年には，東ドイツにある西ベルリンを囲んだ「ベルリンの壁」が築かれました。

4 ECとイギリス

日本▷ 017-B ～ 019-A
55年体制～石油危機のころ

　1950年代になると，ヨーロッパ全体で経済的に助け合うべきだという考えが生まれました。1958年には，ヨーロッパ経済共同体（EEC）が誕生し，経済成長を実現しました。1967年，EECは，ヨーロッパ共同体（EC）に発展していきます。加盟している国々が互いに自由に貿易できるようにしたのです。

　この結果，**西ドイツ**はめざましい復興をとげました。西ドイツは，ブラント政権のもとで「東方外交」をおこないます。東ヨーロッパ諸国との関係改善を目的とするためです。その結果，西ドイツと東ドイツは互いに国家と認め合う条約を締結し，1973年，東西ドイツは一緒に国際連合に加盟するのです。

　イギリスは，元々，大陸にあるヨーロッパの国々と距離をおく国だったこともあり，ヨーロッパ統合には加わりませんでした。イギリスは，EECに対抗してヨーロッパ自由貿易連合（EFTA）を組織しますが，1973年，世界不況の

波を受けて EFTA を脱退，EC に加盟します。

5 第三世界の成立

日本▷ 017-B ～ 018-A
55年体制～日米新安保条約のころ

　第三世界とは，アメリカ側・ソ連側のどちらにも味方していない国々のことです。アジア・アフリカ・ラテンアメリカが中心です。

　1954年，**中国**の周恩来首相と**インド**のネルー首相が会談し**平和五原則**が，翌1955年にはインドネシアのバンドンで**アジア＝アフリカ会議**が開催され，**平和十原則**が採択。第三世界は団結を強めていきます。

　1960年，アフリカで17か国がいっせいに独立します。この年を「**アフリカの年**」といいます。しかしアフリカは混迷します。当時あった国境線が，欧米諸国の勝手な都合で引かれたものだったため，民族や部族がズタズタに引き裂かれてしまい，民族紛争が多発するのです。また，アフリカの多くの国では，栽培できる作物の種類が輸出向けのものに限られていたため，独立後も，自分の国を支配していた欧米諸国に頼らざるをえない状況になるのです。

6 イスラエルと中東問題

日本▷ 017-A ～ 018-B
吉田茂内閣～いざなぎ景気のころ

　1948年，ユダヤ人が**イスラエル**を建国します。しかし，これに反発したアラブ諸国がイスラエルを攻撃します。第1次中東戦争（パレスチナ戦争）です。この戦いにイスラエルは勝利します。その結果，パレスチナに暮らしていたアラブ人が難民になってしまうのです。

　1952年，**エジプト**で革命がおこります。国王を追放します。さらには，イギリス軍を追い出して**スエズ運河**の国有化を図ります。これに反発しておこったのが，第2次中東戦争です。戦争は，アメリカとソ連が圧力をかけて停戦となり，中東におけるアメリカとソ連の影響力が強まり，エジプトがアラブ諸国のリーダーとしての地位を確立します。

　1967年には，第3次中東戦争がおこります。この戦争に勝利したイスラエルは，イェルサレムを含むヨルダン川西岸，ガザ地区，ゴラン高原，シナイ半島などを占領します。一方で，戦争に敗北したエジプトは力を失います。また，イスラエルに占領された地域を取り返すことを目的に，アラファト議長のもとで**パレスチナ解放機構**（PLO）が結成されます。

7 ラテンアメリカの動き

日本▷ 017-A
岩戸景気～「所得倍増」計画のころ

　1959年，カストロとゲバラが**キューバ革命**をおこないます。しかし，革命政権はアメリカの怒りを買います。農地改革の際，アメリカの砂糖会社の農園も対象にしたからです。アメリカは，キューバとの国交を断絶します。

　するとキューバはソ連に接近します。ソ連はキューバにミサイル基地をつく

ります。これに危機感をもったアメリカはキューバを海上封鎖。**キューバ危機**
です。あわや第三次世界大戦でしたが，ソ連とアメリカは妥協，ソ連はキュー
バのミサイル基地を撤去し，アメリカはキューバへの侵攻をやめるのです。

8 「大躍進」と文化大革命

日本▷ 018-A ～ 019-C
岩戸景気～平成改元のころ

　1958年，毛沢東は重工業を発展させて中国を強くしようとしました。これ
を「**大躍進**」といいます。しかしこの政策は失敗。数千万人もの餓死者が出まし
た。劉少奇と鄧小平は，社会主義政策はやめようと立ち上がります。しかし，
この動きに対して毛沢東は，1966年，**プロレタリア文化大革命**をおこないま
す。文化大革命は，1976年の毛沢東の死まで続きました。

　1980年代になると，中国は鄧小平のもとで市場経済化を進めます。西側諸
国との国交を正常化し，ソ連との関係改善を図るのです。この頃，北京の天安
門広場を中心に民主化運動がおこります。しかしこの運動を，政府は武力で弾
圧しました。天安門事件です。

　一方で，1960年代後半以降，アジアで工業化が進みます。アジアでつくっ
た工業製品を先進国に輸出するのです。韓国・台湾・香港・シンガポール・ブ
ラジル・メキシコ，開発独裁をおこなった国々が，**新興工業経済地域**(NIES)
を発展させ，シンガポール・マレーシア・インドネシア・タイ・フィリピンが
東南アジア諸国連合(ASEAN)を結成します。

9 アメリカとソ連の衰退

日本▷ 019-A ～ 019-C
日中共同声明～バブル経済のころ

　ソ連は，1970年代以降，国内の改革や開発が後退していき，経済成長も鈍っ
ていきます。アメリカは，ベトナム戦争で財政が苦しくなります。1971年には，
ニクソン大統領が金ドル本位制を停止，アメリカを中心とするブレトン＝ウッ
ズ国際経済体制が終わりました。

　1973年，アメリカ軍はベトナムから撤兵。1975年には，南ベトナムの首都
サイゴン(現在のホーチミン)が陥落し，北ベトナムが南北を統一しました。

　1980年代になると，福祉国家から新自由主義への動きがおこります。規制
緩和と民営化によって，政府がお金を使いすぎないようにするのです。イギリ
スのサッチャー首相，アメリカのレーガン大統領，日本の中曽根康弘首相がこ
れをおこないます。

10 冷戦の終結

日本▷ 019-A ～ 019-C
日中平和友好条約～ PKO 協力法成立のころ

　1979年，ソ連が**アフガニスタン**に侵攻します。アフガニスタンの社会主義
政権を応援するためです。イスラーム主義を掲げるムスリムは山の中に立てこ
もってゲリラ戦を展開，戦局は泥沼化します。

1985年，**ゴルバチョフ**がソ連の新書記長に就任します。翌1986年には，チェルノブイリ（チョルノービリ）原子力発電所爆発事故がおこります。ゴルバチョフは，社会主義体制を立て直すべく**ペレストロイカ**を唱え，**グラスノスチ**（情報公開）をおこなうと同時に，軍縮を進めていきます。1987年，中距離核戦力（INF）全廃条約が結ばれ，1989年にはソ連がアフガニスタンから撤退します。

1989年，東ヨーロッパで共産主義をやめようという運動がおこります。**東欧革命**です。ゴルバチョフは「東ヨーロッパの国は，おのおの望む道を進みなさい」と言い，東ヨーロッパ初の共産党でない政権がポーランドに誕生します。

1989年，「ベルリンの壁」が開放され，ゴルバチョフとアメリカの**ブッシュ**大統領が，地中海のマルタ島で**冷戦の終結**を宣言します。

1990年，東西ドイツが統一され，バルト3国はソ連からの独立を宣言。翌1991年には，エリツィンがロシア共和国大統領に就任します。共産党は解散させられ，ソ連は解体します。

しかし，その後もユーゴスラヴィアから独立したボスニア＝ヘルツェゴヴィナで内戦がおこったり，セルビア領内のコソヴォ地区で民族対立が理由で紛争がおこったりしました。

11 イスラームの動き

日本▷ 019-A ～ 019-C
日中平和友好条約～東日本大震災（2011年）のころ

1979年，イランで**イラン＝イスラーム革命**がおこると，翌1980年，**イラク**のフセインが，イランの油田地帯を手に入れるためイランに戦争をしかけます。アメリカはイラクを支援しますが，1988年決着がつかないまま停戦します。

1990年，イラクは今度は**クウェート**に戦争をしかけます。これに対して翌1991年，国連はイラクへの武力行使を認めます。**湾岸戦争**です。アメリカを中心とする多国籍軍がイラクを攻撃した結果，クウェートは解放されたのです。冷戦が終わったことで，国連がスムーズに国際紛争を解決できたわけです。

2001年9月11日，同時多発テロ事件がおこります。アメリカのブッシュ大統領は，これをイスラーム過激派組織アル＝カーイダのしわざと考え，**アフガニスタン**を攻撃します。このとき生まれた考えが「テロとの戦い」です。

2003年アメリカは**イラク**を攻撃します。イラクが大量破壊兵器を持っていると考えたためです。イラクのフセイン政権は倒されましたが，大量破壊兵器は見つかりませんでした。

2010年には，チュニジア，エジプト，リビアなどで独裁政権が倒されます。「アラブの春」です。「アラブの春」の影響を受けて，**シリア**では内戦が始まり，過激派の IS（イスラム国）が誕生，シリアでは500万人以上の難民が発生します。

さくいん

さくいん

213

□ 編集協力　待井容子
□ 本文デザイン　二ノ宮匡（ニクスインク）
□ DTP　㈱ユニックス
□ 図版作成　㈱ユニックス
□ イラスト　下田麻美
□ 録音　朗読部屋 studio
□ ナレーション　朗読むすめ（幕末：1〜2［蓮実アレン］　明治時代：3〜7［湯本佳月］・8〜9［山城絢奈］
　　　　　　　　大正時代：10〜12［青木めぐ］　昭和戦前：13〜15［三浦菜摘］　戦後以降：16〜19［辻紗樹］）
□ 写真提供　東京藝術大学/DNPartcom　東京文化財研究所
　　　　　　ColBase（https://colbase.nich.go.jp/）　MOMAT/DNPartcom　TNM Image Archives
　　　　　　（五十音順・アルファベット順，敬称略）
　　　　　＊本文中の写真の一部を模写図に置き換えています。

シグマベスト
共通テストはこれだけ！ 日本史
[講義編2 近現代＋歴史総合]

本書の内容を無断で複写（コピー）・複製・転載することを禁じます。また，私的使用であっても，第三者に依頼して電子的に複製すること（スキャンやデジタル化等）は，著作権法上，認められていません。

著　者　金谷俊一郎
発行者　益井英郎
印刷所　中村印刷株式会社
発行所　株式会社文英堂
　〒601-8121　京都市南区上鳥羽大物町28
　〒162-0832　東京都新宿区岩戸町17
　（代表）03-3269-4231